你失去的，终会以另一种方式归来

沈子涵
编著

成都地图出版社

图书在版编目(CIP)数据

你失去的,终会以另一种方式归来 / 沈子涵编著. -- 成都 :
成都地图出版社有限公司, 2019.8(2022.4 重印)
ISBN 978-7-5557-1268-8

Ⅰ. ①你… Ⅱ. ①沈… Ⅲ. ①人生哲学 - 通俗读物
Ⅳ. ①B821-49

中国版本图书馆 CIP 数据核字(2019)第 182468 号

你失去的,终会以另一种方式归来
NI SHIQU DE,ZHONGHUI YI LINGYIZHONG FANGSHI GUILAI

编　　著: 沈子涵
责任编辑: 向贵香
封面设计: 松　雪
出版发行: 成都地图出版社有限公司
地　　址: 成都市龙泉驿区建设路 2 号
邮政编码: 610100
电　　话: 028-84884648　028-84884826(营销部)
传　　真: 028-84884820
印　　刷: 三河市泰丰印刷装订有限公司
开　　本: 880mm × 1270mm　1/32
印　　张: 5
字　　数: 118 千字
版　　次: 2019 年 8 月第 1 版
印　　次: 2022 年 4 月第 3 次印刷
定　　价: 36.00 元
书　　号: ISBN 978-7-5557-1268-8

前　言

世间的人们往往面临多种选择。对此，很多人给自己的心灵加了一把铁锁。于是，生活的欢欣和幸福都被锁住了，庭院深深，长满青苔。一个人被名缰利锁所羁绊，在横流的物欲中随波逐流，怎么能够解脱呢？

这些人没有领会到“舍得”的精髓，这也是他们生活越来越苦闷、越来越疲惫的原因。在“舍”与“得”之间，大多数人都喜欢“得”：得到利益、得到尊敬、得到地位、得到荣誉等。于是，他们一边生活，一边不停地去追求、去索取，结果，身上的包袱越来越重，以致最后压弯了他们的腰。这些人的目光紧紧地盯在了要得到什么以及如何得到上，而忽略了与“得”唇齿相依的“舍”。他们应该明白的是：假若想要得到太多，那么终将失去；要想活出精彩，就要懂得舍得；只有先舍，才能有所收获。

有这样一则小故事：

有一个小男孩家里很穷，于是他就上街乞讨。有人左手拿着1文钱、右手拿着10文钱，问他选择拿哪一个，小男孩只拿了 1 文钱，不拿 10 文钱。起初人们以为小男孩心善，不好意思破费人家更多的钱。后来又有人故意这样让小男孩选择，小男孩还是只拿 1 文钱，不拿 10 文钱。于是这个只拿 1 文钱不拿 10 文钱的小男孩的名声就传出去了。越传就越有人拿钱来让小男孩选择，在这些人面前，小男孩始终坚持自己的选择：只拿 1 文钱，不拿 10 文钱。甚至有人为了取乐，反复拿出 1 文钱和 10 文钱放在小男孩面前，就是为了看小男孩只选择 1 文钱的傻相。一位哲人见此情景，深有感慨，摇着头走了，人们纷纷尾随其后，询问其原因。哲人意味深长地说："这个小男孩将来一定会成为一个智者，因为他懂得一个道理：舍与得的智慧。如果他拿 10 文钱的话，他就跟别的乞丐一样了，就不会有人故意拿钱给他了。"

这个小男孩可谓深知"舍"与"得"的精髓，他深刻明白"鱼与熊掌不可兼得"的道理，在面临选择时能看到事物的大体趋势和重点，懂得舍弃后才能有大得的道理。

"舍得"是一种人生态度，更是一种人生境界。舍并不意味着放弃，而在于将来更高层次的获得。这不是一种消极的人生态度，而是一种可取的、清醒的人生观。

希望通过本书，你可以懂得人生的意义，领悟舍的价值，明白什么可以舍，什么不可以舍，实现人生的自我规划，从而在人生舞台上游刃有余、坐拥成功！

2019 年 4 月

目　录
CONTENTS

Part 1

断舍离，你需要轻装前进

保持一份淡然的心境

拥有快乐时，不必沾沾自喜；而痛苦的时候，希望的光明也许马上就会降临。其实所谓痛苦也许快乐，完全蕴涵于眼界的宽窄。以平常心去生活，时刻保持一份淡然的心境，此所谓大智大慧。

“不以物喜，不以己悲”这是范仲淹的豁达胸怀，如果对个人的得失看得过重，势必为名利所困扰，在生活中你便会陷入一张无形的网中，以致无法脱身。人生是烦琐的，有时却又很简单，甚至简单到只有取得和放弃。我们应当做到坦坦荡荡的取得，不该取得的则应当毅然放弃。取得很容易让人接受，而有时放弃却很艰难。

爱迪生老年时，一场大火把他多年所拥有的财产包括房屋烧得一干二净。他的儿子在失火的时候，到处寻找他的父亲。最后终于在附近找到了爱迪生。火光映着爱迪生苍老的脸，他的白发和胡须在火光中随风飘扬，静静地注视着无情的火苗吞噬着自己多年的心血，他的儿子要把他拉走，爱迪生却对他儿子喊道："快去叫你母亲来观看这稀少的场面吧！恐怕她以后再也没机会见到这么宏伟的景象了，让我们的过错也随这场火而去吧！真好，让我们有了重新开始的机会。"一年后，他的又一伟大发明留声机闯入了人们的视野。

爱迪生就是那样大智大慧的人，对得失淡然视之，因为失去的将一去不复返，得到的也不可能永远是自己的，轻松快乐地生活，努力地为事业而奋斗，何乐而不为呢？ 愚者总会庸人自扰的背负很多，比如金钱、地位等东西，它们是让生活感到疲惫的根源，得到它们的怕失去，没得到它们的想得到，让这些所谓的名和利成为自己的主人，在痛苦中挣扎。

曾有个叫支离疏的楚国人，他的形体是造物主的一个杰作，亦或者说是造物主在心情开朗时所开的玩笑：脖子像丝瓜，脑袋形似葫芦，头俨然在肚子上而双肩高耸顶在头上，颈后的发髻蓬松似雀巢，背驼得两肋几乎同大腿并列，好一个支离破碎、疏疏散散的"美人"坯子，而支离疏却偷偷开心，感谢上苍独爱于他。平日里，支离疏以乐天知命的态度生活，没有任何顾及，日高尚卧，自由自在，替人缝补衣物、簸米筛糠，以此来养家糊口。当君王准备打仗，在国内强行征兵时，青壮汉子整日担惊受怕，四散逃入山中。而支离疏呢，却毫不在意地去欣赏热闹，因为他这副尊容谁会要呢？所以他才那样大胆放肆。当楚王大兴土木，准备建造皇宫而摊派差役时，健全的庶民百姓无一幸免，而支离疏却因形体不全而免去了劳苦服役。每逢寒冷冬季官府开仓赈贫时，支离疏便开心的前去领到3升小米和10捆粗柴，过着衣食无忧的日子。

在形体上残缺、疏疏散散的人，尚能乐天知命，以淡然的心性快活生活。那么，把这种遗形忘智、大智若愚的精髓放在为人处世上，就可以逢凶化吉、避免灾祸。

活在当下的角色里

俗语说得好：人比人气死人。人在社会上生存，如果一切都和他人攀比，在心理上就很难达到平衡。因此，人们要学会不攀不比，在自己现在的位置上好好的活，活出一片属于自己的光芒人生。

大多时候，人们往往对自己的美丽不予理睬，而只是看到别人的耀眼的美丽。但与此同时，却总是想不到别人的美丽并不适合自己，更想不到别人的美丽也许正是自己丑陋恶心的一面。

在这个世界上，最重要的事物为何呢？它既不是你所失去的，也不是你没有得到的，而是你正拥有的。

有一天，王子一个人来花园里散步，使他十分诧异的是，花园里所有的花草树木都枯萎了，园中一片荒凉。后来王子了解到：橡树由于嫌弃自己没有松树那么高大挺拔，因此轻生厌世死了；松树又因悲哀自己不可以像葡萄那般在架上，不能像桃树那样开出漂亮娇艳的花朵，于是也死了；牵牛花也凋零了，因为它惋惜自己没有紫丁香的芬芳。其余的植物也都伤心气馁，毫无活力。只有一棵小小的心安草在茁壮地成长着。

王子问道：“小小的心安草啊，别的植物全都凋零了，为什么你这么坚强开朗、乐观向上呢？”

小草回答说：“王子啊，我不伤心沮丧，是因为我知道，如果王子您希望得到一棵橡树，或者一棵松树、一串葡萄、一棵桃树、一株牵牛花、一棵紫丁香等等，您大可以让园丁把它们种植上，而我知道您对我的希望就是要我本本分分地做一株小小的心安草啊。”

心安草因为安心踏实于做好一株小草而长得特别旺盛。同理，人们无节制地攀比和不自量地要求，都将给自己带来巨大的心理负荷。所以要学会剔除掉不必要的忧愁，让自己过得开心快乐。

欣赏生活中的美

生活中的一切都是一道亮丽的画卷。我们要学会发现生活中的美，懂得欣赏生活中的美。在五彩缤纷的生活中，我们一定要记住时常停下我们匆忙的脚步，学会改变心境，释放自己的心灵，善于发现生活中的美，这样便学会让我们感受到生活中处处都是美好的。

西方曾有谚语："如果你叫山走过来，山不走过来，你就走过去。"我们都应当有走过去的思想，恰当地改变自己的情趣，给生活注入一点新鲜的血液，让麻木的神经得以缓解。在悠闲的时刻，我们可以去关注一下路边正在吐绿的垂柳，窗台上正在含苞待放的花朵，还有那清新的海风，山雨欲来的潮湿空气，草叶上的露珠，淡淡的薄雾。也可以在宁静的夜空下闲适地仰靠在窗前，欣赏那璀璨的星光……如果你懂得去发现、去欣赏，你就会发现其实生活是幸福快乐的。

生活中处处透着平凡，与此同时也是多姿多彩的。曾几何时，我们总喜欢在下雨的日子中撑一把小伞，在雨中穿行，踩着地上的小水洼，让凉凉的感觉穿过脚底透进心里，这让我们觉得十分舒服，之所以这样做，不因其他，只为转换一下心情。也曾在有雨的日子，端一杯香茗独坐窗前，聆听敲打玻璃的雨声，那滴滴答答的雨击打着心田，思绪已随雨慢慢飘远……也曾在有雨的日子，放下手头所有的事，躺在床上美美地睡上一觉，让疲惫的心享受片刻的清闲，梦中出现绚烂的笑容。而今，每个人都在为了生活而忙碌奔波，工作和生活中处处透着压力，所以，我们有时候应该学会让心灵适当的休息一下，停下你匆匆的脚步，改变心境，放松心灵，清除掉心中的尘埃。生活原来也不需要背负着沉甸甸的负担，因而应及时地把心灵中无用的垃圾清除掉，及时给心灵减负，留下该留的，为心灵释放点空间，让自己活得轻松点、快乐点，这才是最重要的。其实，生活中的一切都是亮丽的画卷。只要你懂得去发现平凡中的美，去欣赏和体会平淡中的真实，那么你的人生就会变得色彩斑斓。

生活的节奏要靠自己掌握

村里有一位善骑的、箭法好的猎人。一次，他看到一件有趣的事情。那一天，他偶然发现村里一位十分严肃的老人与一只小鸡在说话游戏。猎人心生好奇，为何严肃的老人会如孩童般乐天？

他带着疑问去问老人，老人说："你为什么不把弓带在身边，并且时刻把弦扣上？"猎人说："天天把弦扣上，那么弦就失去弹性了。"老人便说："我和小鸡游戏，理由也是如此。"

生活亦是如此，每日事情繁多复杂。但是，你有没有仔细想过，若天天疲于工作，那些烦琐之事便会压得我们喘不过气来，无力回天。

因违背了生活的规律，导致一系列生理病症的突发，不可避免地出现了"职业病"：情绪不稳甚至猝死的状况，给人们生活、工作及心理造成无形的压力。

据有关统计，美国一半成年人死于压力；企业每年因压力而遭受的损失达 1500 亿美元——员工缺勤及工作心不在焉成为效率低下的根源。

挪威每年支出国民生产总值的 10% 用来治疗职业病，而英国，每年由于压力造成 1.8 亿个劳动日的损失，企业中 60％的缺勤是与压力相关的不适所引起的。

我们为何不更换一种心态，放松自己，寻找属于自己的快乐，何不试着停下手中冗长的工作，去玩玩当年梦想的游乐，古人云“偷得浮生半日闲”，没了忧愁，自在闲适，不失为一大智。记得有一位网球运动员，每次比赛前别人都去睡觉，睡够以后好去练球，他却一个人独去打篮球。被问道为何不去练网球，得到的答案是，篮球来得比网球更有感觉，这样可以使全身放松。由此可见，忘掉自我，做自己喜欢的一切，也可觅到成功之道。

莫言时间仓促不待人，当你下班赶着回家做家务时，不妨提前一站下车，花半小时慢慢步行，闲看庭前花开花落，无欲无求，会感到浩然之气油然而起，这里有你想要的一切。

游历名山大川并不是每个人都能办到的，但给自己一个空间，学会忙里偷闲，作片刻休息，则人人都能做到。

用孩子的眼光打量世界

假期里，一位富翁带着儿子去农村小住一段时间以体验生活，他想让从来衣食无忧的儿子知道穷人的生活是什么样的。

他们在一家最穷的人家里待了两天。

回城市后，父亲问儿子：“旅行怎么样？”“好极了！”儿子干脆地回答，“这回你知道穷人是怎么过日子的了？”父亲意味深长地看着儿子问道。“是的！”“那你说说你有什么感想？”

儿子兴致勃勃地说：“真是棒极了，他们一家人真富有啊！咱家只养了一只猫，我发现他们家里却有三只猫；咱家仅有一个小游泳池，可他们却有一个大水库。咱们的花园里只有几盏灯，可他们却有满天的星星；还有，我们的院子只有前院那么一小片草地，可他们的院子周围全被草地包围，还有好多好多的牛羊鸡鸭、瓜果蔬菜！”

听完儿子的话，父亲哑口无言。

接着儿子又说道：“谢谢爸爸您让我明白了我们有多么贫穷！”

孩子的世界是最宽广美丽干净的世界，他们眼中的世界永远是阳光明媚温暖、万物生机勃勃的。若用孩子的眼光去看这个纷繁复杂的世界，贫穷与富有的界限不再那么分明，快乐与悲伤的区别也不再那么极端，用孩子的眼光看世界，少了几分不如意，却多了很多惊喜，而这些小小的惊喜也可以被他们扩大成千百倍的快乐。在这一点上，正是大人们所无法做到的，难道不值得我们学习和珍惜吗？

随意自然地生活

追溯生活的本能，遵循自然的规律，你的人生就会变得轻松，就会收获意想不到的快乐。

有一个地方地势极高，水位落差十分明显。一日，孔子看着如此湍急的河水，心想：如此湍急的水流恐怕连水中的生物也无法自由游动了。

就在孔子感叹之时，他忽然发现有一个男子正在水流中挥臂拨水。孔子不由得大吃一惊，以为这人掉进急流，必定会丧命于此。结果，却发现那人从水中自如地上了岸。他披着长长的头发，边走边唱着山歌，在堤岸上优哉游哉地走着。孔子便跟在他身后，问他说："我还以为你是神鬼水怪什么的，现在看清楚了，发现您也只是个普通人而已，请问你游泳有什么秘诀没有？"

那个男人说："没有，我从何而来的秘诀呢。我只是开始于本然，慢慢地，随着时间的流逝，我又习惯于自然，最后，便十分轻松地在水中游，如履平地一样。我跟旋涡一同卷进翻出。我一起一伏，伸手抬腿弯腰仰头，顺着水的本能来遵循，而不以自己的意愿做，可能，这就是我游泳的诀窍吧。”

孔子又问：“什么叫作始于本然，习惯于自然，成功于自然？”那男人便耐心解释说：“我出生在地势较高处并且安于高地，这就是遵循它本来的样子；成长于水的环境中又安于在水中，长于习惯，形成自然；我不知道所以自然而然，就是成功于自然。”

心中的那架天平，是靠我们自己去掌握、调适的。

若一个人想过上称心如意的生活，只要拥有一颗始于本然而又成于自然的心，这个愿望便可以达成了。过好生活其实就是随意、自然地生活。居里夫人说：“我认为人们在不同的阶段都可以过有趣而有意义的生活。我们不应该虚度一生，应该能够说：‘我做了我能做与想做的事情。’只有这样我们才能获得快乐。”是的，人生的道路，总是时常变化无常，只有顺其自然，才能适于通顺。用心生活才能品味生命的真谛。

Part 2

不放手，永远不知道世界有多好

放下就是拥有全世界

鸣蝉奋力挣脱掉自己的外壳，才获得展翅高飞、自由歌唱的机会；壁虎断掉自己的尾巴，才在绝境中获得了重生的希望；算盘若填满自己所有的珠位，也就失去了自己存在的价值。 现实也是如此，握紧拳头，你什么都得不到；伸开手掌，你将拥有全世界。

一个渔夫，在大海里捕到一只海龟。

他把它抱回了家，放到了自己的床上，温柔地和它说着话。晚上还给它盖上了崭新的被子，把最新鲜的鱼虾端到它面前。

然而，海龟不吃不喝不动，泪流满面。

“你为什么哭呢？你知道，我是多么爱你啊。”渔夫问。

“可是我的心里只有大海，那里有我的家，有我的孩子，有我的快乐。请你放我回去吧！”海龟说。

可是，渔夫舍不得放弃它。过了好久好久，看着心爱的海龟日渐消瘦，精神萎靡，渔夫终于决定放它回到大海。“你这个冷酷无情的海龟，我几乎把整个心都交给了你，却得不到你一丝一毫的爱。现在，我成全你，你走吧。”

海龟慢慢地爬走了。

半年后的一天，渔夫正在午睡，忽然听见门外有声音。他出门一看，原来是之前他放走的那只海龟。

“你回来干什么？”

“来看看你。”

“你已经得到了你的幸福，何必再来看我呢？”渔夫问。

“我的命是你给的，幸福也是你给的，我忘不了你。”海龟说。

“唉，你去吧！只要你能幸福就够了，以后不必再来看我了。”渔夫伤感地说。

就这样，海龟依依不舍地走了。

然而，一个月后，海龟又来了。

“你又来了？”

“我忘不了你。”

“为什么会这样呢？当我希望永远将你据为己有时，却丝毫无法打动你：当我放弃你时，却获得了你的心。”渔夫深有感触地说。

很多事情，放下了，往往也就拥有了。工作上，把名利放下了，就可以按照自己的想法、方式去把事情做好；生活中，把一些不愉快的记忆放下了，就能过得更洒脱、更自在。

所以，只要把心与念想统统都放下，人就能从桎梏中走出来，拥有更快乐的人生。

一天，一个登山者突然从山上滑落，他拼命抓绑在自己手上的绳子，总算停了下来没有掉下去。山中大雾弥漫，上不见顶下不见底，他绝望地呼喊：“上帝啊，快救救我吧。”突然这时一个声音响起：“我是上帝，你希望我救你吗？”那个人大喊：“是的，是的。”上帝问：“那你愿意相信我吗？”那个人连忙说：“当然愿意。”上帝说：“那好吧，现在把你的手松开。”

那个人不禁一惊，心想这不是害我吗？然后，沉默了半天，始终没有松开手，仍然是紧紧地抓住绑在自己手上的绳子。

结果，第二天，救援者只找到了这个人的尸体，他在夜里被活活冻死，而令救援者困惑的就是他紧紧抓着的绳子，离地面也不过 3 米而已。

放手，对任何一个人来说，都是一个痛苦的过程。因为放弃，有时候便意味着不再拥有。但是，如果不想放弃，却想拥有一切，最终也许只能一无所有，这是生命的无奈之处。有人说：“取是一种能力，舍是一种勇气，没有本事的人取不来，没有胸襟的人舍不得。”所以，我们每个人都应该懂得，有得必有失，有失必有得，你每一次的放弃可能在酝酿着下一次的拥有，人生就是这样一个得与失不断重复的过程。

将心灵的窗口调到快乐频道

一个人这样说他的一次经历：

一天下班后我乘巴士回家，车上的人很多，过道上站满了人。站在我前面的是一对恋人，他们亲热地拥抱着，那女孩背对着我，她的背影看上去标致、高挑、匀称，她的头发是染过的，并且是最时髦的金黄色。她穿着一条当时最流行的吊带裙，露出香肩，是一个典型的都市女孩，时尚、前卫，并且性感。这对恋人靠得很近，低声絮语，女孩不时发出欢快的笑声。笑声不加节制，似乎是在向车上的人挑衅："你看，我比你们快乐！"笑声使许多人把目光投向他们，大家的目光里似乎有艳羡，不，我发觉到他们的眼神里还有一种惊讶，难道女孩美得让人吃惊？我也有一种冲动，想看看女孩的脸，看那张漂亮的脸上洋溢着幸福会是什么样子。但女孩没有回头，她的眼里只有她的情人。

后来，他们大概讲到了电影《泰坦尼克号》，这时那女孩便轻轻地哼起了电影的主题歌，女孩的嗓音很美，把那首缠绵的歌表现得很到位，虽然只是随便哼哼，却有一番很动人的力量。我想，只有拥有足够幸福和自信的人，才会在人群里肆无忌惮地欢歌。这样想来，便觉得心里酸酸的，像我这样从内到外都极为黯淡无光的人，什么时候才会这样旁若无人地唱歌？

很巧，我和那对恋人在同一站下了车，这让我可以看看女孩的脸，我的心里有些紧张，不知道自己将看到一个多么令人愉悦的绝色美人。可就在我大步流星地赶上他们并回头观望时，我惊呆了，我也理解了之前车上的人那种惊诧的眼神。我看到的是张什么样的脸啊！那是一张被烧坏了的脸，用“触目惊心”这个词来形容毫不夸张！真是很惊异，这样的女孩居然会有那么快乐的心境。

那个人讲完他的经历后，深深地叹了口气并感慨道：“上帝真是公平的，他虽然把霉运给了那个女孩，但也把好心情给了她！”

其实，掌控你心灵的，不是上帝，而是你自己。世上没有绝对幸福的人，只有不愿快乐的心。倘若你能放下周遭不快，掌握好自己的心舵，快乐必定属于你。

人常常会假想敌人，然后累积许多仇恨，使自己产生特别多的毒素，结果把自己活活毒死。

你是不是心中也怀着一股怒气呢？要知道这样，受伤害最大的是你自己，为什么不看开点，放自己一马呢？别忘了，莎士比亚这样说过：“使心地清净，是青年人最大的诫命。”

期待少一点，满足就多一点

一位出租车师傅准备收车回家，他想如果正好有人打车去他家的方向该多好，应该说这个期待很正常。但正常的期待不应成为唯一的期待，期待的东西也并不意味着必然来临。要想赶上正好这个时间有人打你的车而且正好去往你家的方向，这简直是太巧了。当现实与这位司机师傅的期待不符时，他可以说明情况不载客直接回家，或者拉完这一趟再回家。如果因与期待不符就和现实生气，那就有些反应过头了。

有人统计说，人至少有 92% 的烦恼都属于没有道理的，换句话说就像那个司机师傅一样是自己给自己找烦恼。他的苦恼在于以期待代替现实，也可以说是以片面的期待要求现实与之匹配，然而正因为如此，毫无道理的烦恼占据了我们生活中大多数人的头脑。比如，有人喜欢以自己的生活观要求别人，认为别人都应该像自己一样自觉地做该做的事。尤其是在夫妻中，很容易就会产生这样的矛盾。有人总是产生一厢情愿的回报期望，觉得自己付出了很多，当别人没有付出多少却得到相应的回报时就会满心抱怨。

可见，生活中的大多数烦恼并不是别人带给我们的，而是来自于我们的主观期望和现实的强烈反差。

一位国王发现了一块难得的好石头，晶莹剔透，欢喜得不得了，像宝贝一样把玩。国王将石头雕成了一座美丽的少女像，每天早晨起床后和晚上就寝前，国王都会含情脉脉地凝视这座少女像，并且无时无刻不在幻想着她能获得生命来到自己的身边。但这种愿望怎么可能会实现？

人的一生中有很多期待，其中有些期待偏离了现实。想的是如此完美，但是论真心讲，那些真的可以实现吗？期待有别于现实，主观不能代替客观，所以故事虽只是故事，现实生活中这样的人却是大有人在。

放下换来另一片天地

一位中年男子，摆了一大篓子鸡蛋在菜市场中央吆喝叫卖着，可是很多人走过来只瞧了一眼就走了。一个妇人嘴里还直嘀咕：“鸡蛋这么小！”男子看了看自己卖的蛋，当时进的货确实小了点儿，但是现在货已进了又不能退，眼看天气越来越热，如果再不快些卖掉这些蛋，蛋一变质就得全都扔了，这样一来就会血本无归。

眼看一天下来卖出去的蛋不多，男子心情不快地回到家里，喝了一小杯酒之后坐在沙发里发呆。他的老婆正在织毛衣。

男子两眼无神，茫然地注视着老婆纤细的手指，一上一下穿梭在毛线之间。忽然，他坐了起来，转身从篓子里拿起两个鸡蛋，并把其中一个放在老婆的手中。

男子看看自己手中的蛋，再看看老婆手中的蛋，然后高兴地说：“明天你到菜市场帮我卖蛋，我去卖别的东西。”

第二天，男子和他的老婆一大早就来到菜市场，他老婆纤细的手指在篓子里一边抚摸鸡蛋，一边叫道："新鲜鸡蛋！快来买哟！"

中年男子也坐在老婆的身边吆喝，可是他吆喝的却是："快来买好吃的巧克力豆哟！"

只见大盒巧克力豆摆在鸡蛋旁边，鸡蛋显得大多了，再加上女人纤细的手指，当时的鸡蛋看起来一点也不小。菜市场关门的时候，中年男子一手拿着空空的蛋篓，另一手则搂着笑得合不拢嘴的老婆。

放下换来的变通，往往会产生奇妙的效果。例如，一位作威作福的胖太太和服侍她的瘦丈夫，往往能成为最受欢迎的减肥广告。

坚持不一定是最好的做法

人总是喜欢争取自己喜欢的东西，总是下意识地认为只要自己争取了，就一定能得到，但忘记了看那个东西是否适合自己。美丽别致的鞋子有时是不合脚的，当你撑足了面子，脚却已经疼痛难忍，而你想穿回原来那双合脚的鞋子时，会发现再也找不到它的踪迹，后悔都为时已晚了。放弃可能是生活中要时刻面对的清醒选择，学会放弃才能卸下人生的种种包袱，然后轻装上阵，坦然地等待生活的转机，度过人生的风风雨雨；懂得放弃，才能变得成熟，才能够活得更加充实、坦然和轻松。

人生在世，每个人都会或多或少地有些无奈，如果我们有太多的放不下，就会有更多的无奈。放下意味着释怀，释怀意味着无忧无虑，这是佛家所追求的一种理想境界，同样也是每个人所追求的。人生会面临太多的诱惑，有的人总是一头扎进去就再也不愿意出来，不愿意丢掉这些本该放弃的东西，这样，他就会在诱惑的旋涡里让自己受伤；人生有太多的欲望，在这些欲望的驱使下有的人只会拿得起，却放不下，最终在人生的道路上迷失方向。

在我们的日常生活中，总会有些事，在我们经历过百般努力后，成功却还是遥遥无期，这时我们就要学会放弃，因为它是我们该放弃的，继续做下去只会给我们带来失败，不妨换一个活法，换一种方式，或许这样我们就会惬意无比。 如果我们在一次不经意中得到一个意外的便宜，在我们沾沾自喜之后，一定要赶快放弃，便宜的背后，往往潜藏着巨大的杀气，会使我们跌进低谷，以至于遍体鳞伤。 每一个人都是有感情的，如果我们努力地去打动别人，却不能使他动情时，你不妨学会放弃，把你绵绵的情意，深藏在心底。 因为那不是我们要争取的，那是我们应该放弃的，带着他只会让我们伤痕累累。

如果你走进一条死胡同，你应该赶快放弃，及时回头，这样会给你带来新的契机。 如果你的成功已达顶峰，你更要学会放弃，这样才能让世人记住你留下的辉煌记忆。 如果费尽心思自己却不能开心，那又何必坚持，其实放弃未必不是好的结果！

不要留恋射出去的箭

3位颇具天赋的女孩让射箭队教练非常兴奋。当时，这3位少女都不满17周岁，而且以最好成绩计算，她们都排名在世界前10名之列，换句话说，只要这3人发挥正常，奥运会上的女子射箭金牌铁定落入她们囊中。

紧张的比赛开始了，主场观众的呼声不断响起，一声哨响后，观众们都静下心来，是队员们比拼的时候了。可令教练大为惊讶和不解的是，第一位天才少女在首轮即遭淘汰，她的成绩非常糟糕，连平时的一般训练水平都达不到。教练仰天祈祷：还好，我们是东道主，有3个名额参赛，只有看其他两位队员的发挥了。

决赛才进行到一半，另一位少女的成绩开始不稳定，而且越来越不稳定，眼看她是拿不到冠军了，教练只好把希望投向最后一名弟子。只见那少女异常沉着老练，她的每一支箭几乎都命中靶心。她获胜了，如愿以偿地取得了金牌，为举办此次奥运会的国家赢得了荣誉，她就是韩国公认的“神箭手”金水宁。

赛后，教练问第一位弟子失败的原因，她说，她从一开始就想“保”，因为只要发挥出她的最高水平，她就可以遥遥领先，可惜，她失败了；第二位弟子说，当她射出糟糕的一箭后，她很想“追”，以力保金牌，可惜，她也失败了；问到金水宁时，金水宁平静地说：“我眼中只有靶心，连箭都看不见了。”教练拍拍她的肩膀说：“你已经知道什么是射箭了。”

对于自己保持良好成绩的秘诀，金水宁还有一句备受观众熟悉的话，那就是“我绝不留恋射出去的箭”。

谁都想获得成功，可由于心中有太多杂念，人生就会偏离方向，真正的高手只看得见靶心，一心扑着理想而去，而从“只看得见靶心”到“绝不留恋射出去的箭”，就更是一种飞跃，一种升华。

Part 3

人生漫漫，不妨停下来看看风景

学会释放自己

在当今这个高速发展的时代，工作和生活的节奏一直不断加快，竞争也日渐激烈，如果人们不注意调整自己的心态，就很容易感到身心疲惫，也就是人们所常常抱怨的“活得累”。

一位医生在治疗某位企业家时，劝他要多多休息。这位企业家愤怒地抗议说：“我每天承担着难以承受的工作量，没有一个人可以分担哪怕一丁点的业务。大夫，您了解吗？我每天都得提一个沉重的手提包回家，而里面便是那需要夜以继日处理的文件！”

“为什么晚上还要批那么多文件呢？”医生惊讶地问道。

“那些都是必须处理的急件。”企业家烦躁地回答。

“难道没有人可以帮你忙吗？助手呢？”医生问。

“不行呀！只有我才能正确地批示呀！而且我还必须

尽快处理完，要不然公司怎么办呢？”

“这样吧！现在我开一个处方给你，你能否照着做呢？”医生坚定地说道。

医生给病人开完处方后，读着处方的规定：每天散步两小时；每星期空出半天的时间到墓地一次。病人十分诧异地问道：“为什么要我去墓地呢？”

“因为……”医生不紧不慢地回答，“我是希望你四处走一走，看看那些长眠于地下的人的墓碑。你认真思考一下，他们生前也与你一样，觉得全世界的事都得自己承担，如今他们全都长眠于地下，可能将来有一天你也会加入到他们的行列中，然而整个地球的活动还是永不停歇地进行着。而其他世人们仍是如你一般坚持不懈地工作着。我建议你站在墓碑前仔细地想一想这些摆在眼前的事实。”医生这番辛勤的劝说终于敲醒了企业家，他遵从医生的教导，放慢生活的节奏，并且转移一部分职责，他才彻底地了解到生命的真谛并不在于急躁或焦虑，他的心已经得到平和，也可以说他比以前活得更精彩，事业也随之与日俱增。

“生活太累了！”时常听见人们会爆出这样一句话。其实，生活本身并不累，它只是按照自然规律，按照本身的规律在运行。抱怨生活太累的人实则是自己活得太累。心理学家认为：有“活得累”想法的人，大多数得的是“心病”，即他们的心理天平失去平衡或产生障碍。

区分心累和身累的最好方法就是，身累的睡眠状况特好，往往一入睡就跟死猪一般，被人抬走了都醒不过来，一旦醒来，便觉得浑身轻松，精神百倍；而心累则显得十分疲惫，睡眠质量明显不堪，常常失眠，越强制自己不考虑的事越是连续不断地考虑，甚至上下五千年纵横八万里的事情全都涌向心头。极度地难眠，即使睡着，也会被小动静所吵醒，或是被梦魇所惊醒，醒来后头晕目眩，跟大病了一场似的，而且很难再次入睡，往返地形成了一种恶性反复。

给生活留一些空白

“9 月 5 号参加一个重要的谈判”“9 月 6 号参加公司的高层管理会议”“9 月 7 号去美国检查分公司的工作”……

在日常活动中，很多人的日程都是被提前安排得很拥挤。的确，他们是真的很忙，总有必须去处理的工作。但是，无论多么忙，我们都应该在日历上留下一张空白页。当你在忙碌的工作之余，看到日历上没有任何计划的空白页，你的心中会很莫名地有一种放松感。“留白”是指完全属于你的时间，你可以做任何你想做的事情，也可以什么事都不做。在你的日历上留白，会给你一种平静的感觉，感觉自己并不是生活在时间的压力中。

在你允诺在你的日历上留有空白页之前，你永远找不到时间去做你真正想做的事。但是只要你能为自己留一些空白时间，你就能为自己做一些事，并不是在别人的允诺下去完成。通常你周围的人会请求你帮助做一些事情，或者你的邻居、朋友与家人需要你为他们做些什么。除此之外，你还有些社会责任，有些是你爱做的，有些则是你所必须承担的义务。

当然，来自工作，即使是毫无关联的人的恳求也是不可避免的，譬如电话拜访或推销员的打扰，感觉上好像每个人都想侵占你的一点时间，唯有自己毫无空闲时间。

最好的解决之法便是和自己有约。和自己订约会的方法很简单：在日历上画出几个不让任何人打扰的空白日子即可。

当你翻看你的行事日历时，你会发现这个星期六的二点半到四点半之间是属于自己的时间。除非是有特别的事情发生，任何事情都不能影响到你的这段时间。也就是说，任何人要求你在这段时间做任何事——同事约你商讨一个工作计划、有人要等你的电话，或是客户需要你的帮助等——任何事都不行，因为你已经有计划了，这个计划便是自己掌握自己。在这个月接近月底的时候，还有另一天是被划掉的空白日子，那也是个和自己约会的神圣时光，你一定保证那天不会被任何事情打扰。

和自己约会是需要时间慢慢地去适应的。也许刚开始这么做时，你的心中总是满怀恐惧，好像在荒废时间，错失机遇，只为一己之私。尤其是当你的日历上还有空白时，你对别人说没有时间便会觉得难以启齿！不过，很快你就会知道和自己订约会是让自己精神饱满的最有利的方法。

在日历中留有空白页将是你行事日历中最关键的计划，也是你最珍惜最愿意保存的重要时光。但这并不代表你的工作便可完全抛弃，或是你与家人在一起的时光没有价值。而是这段空白的时光对你的心灵有平衡与滋养的作用，丢失了这段时间，你会很容易变得烦躁不安、伤心难过、郁郁寡欢。

要想保证自己无时无刻保持着精神抖擞的状态，你可以从今天开始与自己定个约会。 起初是从行事日历中选定一个特有的一段时间，一周一次或一个月一次都可以，而且时间长短不限，哪怕是几小时也好，关键是为自己留下空白页。其次是当别人要跟你约定时间时，绝对不能将这段可贵的留白时光牺牲了。 你要十分宝贝这难得的时间，甚至比任何时光都关键，别担心，你绝不会因此而变成一个自私的人，相反，当你再度感到生命是属于自己的时候，你便会有十分满足的欢快感，也更能体会到生活的美好。

跳出忙碌的圈子

欧仁和他的妻子王佳原来在一家国营单位工作，夫妻双方都有一份固定的收入。每逢节假日，夫妻俩都会带着5岁的女儿小燕去游乐园嬉戏，或者到博物馆去看参观，一家三口和谐快乐。后来，经人介绍，欧仁跳槽去了一家外企公司，一段时间后，在丈夫的带动下，王佳也离职去了一家外资企业。凭着优秀的业绩，欧仁和王佳都成了各自公司的核心力量。夫妻俩白天辛勤奔波，努力工作，有时忙不过来回家后还会继续工作。5岁的女儿只能被送到寄宿制幼儿园里。王佳觉得自从自己和丈夫跳到体面而又风光的外企之后，家便如同旅馆一样了。孩子一个星期回来一次，有时她要出差，与孩子甚少相见。不知不觉中，孩子幼儿园毕业了，在毕业典礼上，她看到自己的女儿表演节目，居然几乎不认得自己这个乖巧却可怜的孩子了。孩子跟着老师学习了那么多，可是在亲情的花园里，她却是孤寂可怜的。频繁的加班掠夺了周末陪女儿的时间，以至于平时最疼爱的女儿在自己的眼中也显得陌生了。这一切都让王佳在迷惘和不安中度过。

你可曾也像王佳一样不由自主的深陷于不安中无法自拔呢？面对生活，我们的内心会发出微乎其微的呼唤，只有躲开外在的嘈杂喧闹，悄悄地聆听并顺从它，才会做出正确的选择，否则，你将在忙碌吵闹的生活中迷失、丢失掉自我。

有时期望太高并不会带给你愉悦感，反而会一直制约着我们的生活：拥有宽敞豪华的寓所；幸福的婚姻；让孩子享受最好的教育，有一天出人头地；努力工作以争取更高的社会地位；能买高档商品，穿名贵的时装；走在时尚前沿，永不掉队。要想过一种简约的生活，改变这些过高的期望是很关键的。富裕奢华的生活需要付出极大的代价，而且并不能相应地给人赢得幸福。如果我们降低对物质的需求，改变这种奢华的生活方式，我们便有更多的时间来丰富自己的生活。悠闲的生活将让人更加自信果断，重视人与人之间的情感，提高生活的质量。幸福、快乐、轻松是简单生活所追求的目标。这样的生活更加可以让人了解到生命的真正价值所在。

生活必须要用简单来奠定。跳出忙碌的圈子，丢掉过高的期望，跳入自己的内心世界，认真地体验生活、享受生活，你便会了解到生活本是简单而充满乐趣的。

让心灵回归简单

人生就如同背包去旅游，背的东西越多，自己的脚步就会越繁重。

《简单生活》的作者丽莎·茵·普兰特曾说过，“简单不一定最美，但最美的一定简单”。由此可见，简单创造最美的生活。在西方社会，简单主义正在成为一种新兴的生活潮流。因为很多的生活以及许多所谓的舒适生活，不仅不是必不可缺的，而且是人类进步的阻碍和历史的悲剧。在这种情况下，人们更愿意选择另一种生活方式，那便是简单而真实的生活。

某天夜里，凯瑞和家人在无电小屋中围坐在火炉旁仰望星空，静静地聆听，静静地观察。桌上几只蜡烛的火焰有规律的晃动着，炉中黑色的铁锅在冒着热气。凯瑞在这次停电中，领略到了很多事情的真谛。在这次意外的停电中，凯瑞和她的家人对黑暗所带来的神秘和欢喜的体验印象极深。黑暗给人们带来的不仅有神奇的萤火虫，还有城市的祥和，以及那消失很久的家庭温暖和邻里之间的关心。

当你用一种新的视野聆听生活、对待生活时，你会发现简单的东西才是最美的，而那些美丽的事物其实也正是那些最简单的。

曾有那么一位行吟诗人，一生都在旅店中度过。他不断地从一个地方旅行到另一个地方。他的一生都是在路上、在各色交通工具和旅馆中度过的。当然这并不是因为他无法为自己买一座房子，这是他自己为自己所选择的生活方式。后来，由于他对于文化艺术的突出表现，也鉴于他已年老体衰，政府决定免费为他提供住宅，但他还是果断地拒绝了，理由是他不愿意为房子之类的麻烦事情消耗精力。就这样，这位独来独往的行吟诗人，在旅馆和路途中完结一生。他死后，朋友为他整理遗物时发现，他一生所拥有的所有的物质财富便是一个简单的行囊，行囊里是些纸笔和简单的衣物。而在精神财富方面，10卷优美的诗歌和随笔作品却留存千古。

这位诗人的生活是简单而充满价值的。他的人生是一种去繁就简的人生，没有太多不需要的烦恼，没有太多的欲望的压迫，是一种简单而纯净的生活。

就如背包去旅游一样，装的东西越多，自己的脚步就会越沉重。所以，与其让自己在身心疲乏与艰难困苦的状态中前行，不如将心里的包袱抛开。就做最简单的自己，充实而快乐地生活着。

放缓生活的节奏

人生在世，许多人经常说的话便是“我忙啊”。 没时间回家看看，没时间与好友聚会，没时间静静恋爱，忙得冷血，忙得面无表情。

朋友们，要想尽情地体会生活，就一定要学会放慢脚步。当你停止疲于奔命的生活时，你会发现生命中原来有如此之多之前未被发掘出来的美；当生活在欲求无边无际的状态时，你是没有办法去领悟生活的本质的。

虽说放缓生活的节奏对一直急躁的人来说实属不易，而且许多人对此根本就无暇考虑。 但享受生活的一个重要条件就是，你一定要注重自己所做的，并最终放慢生活的节奏。

由于我们一直追赶着时间，所以很少有机会与朋友进行心灵的恳谈，结果我们就变得越来越孤独；因为忙碌，所以很多时候我们只知道依据温度来加减衣服，却忽略了四季的更替，就这样不知不觉地过了一年又一年。 因为我们忙得没有时间去注意那些征兆，故而连身体不舒服的前期症状都感觉不到……

古人曾说：“此生闲得宜为家，业是吟诗与看花。”这种寄生于绿柳红墙的庄园主乐趣，现代人怕是无法享受了，现代文明早就已经把这种情调和曾经的那个社会都掩埋了。

著名的英国散文家斯蒂文曾在散文《步行》中说过：“我们这样匆匆忙忙地做事、写东西、挣财产，想在永恒时间的微笑的静默中有一刹那使我们的声音让人可以听见，我们却忘记了一些很重要的事情，在这件大事中这些事只是细目，那就是生活。我们钟情、痛饮，在地面上急急地走过，像一群受惊的羊。可是你得问问你自己：了解一切之后，你原来如果坐在家里炉旁快快活活地想着，是否更好些。安静地坐着思考——记起女子们的面孔而不起欲念，想到人们的卓越成就，快意而不羡慕，对所有的一切都充满同情并且存在深深的体悟，而却安心留在你所在的地方和身份——这不是同时懂得智慧和德行，不是和幸福住在一起吗？说到底，能通过游行来开心的并不是那些扛旗子游行的人们，而是许多坐在房间里高瞻远望的人们……”

他警示我们，假使我们一直很忙碌，会使我们忘记生活本来所应有的真谛与开心。

因此，放缓一下步调，痛快地去享受吧！因为享受生活是帮助我们充实人生、让人生具有活力的最好的办法。

定期做人生清理

每个在办公室里的人，到了岁末年初，总要彻底打扫一下自己的办公桌——丢弃那些毫无保存价值的信件、材料，再将其他的重新整理归纳，井井有条，使人眼前一亮，给自己创造一个相对宽松、舒适的环境。即便如此，总有一些东西舍不得丢掉。人们总习惯以“可能有用”为借口而存留一件件、一堆堆的“废品”和“垃圾”，直到有一天才下狠心将其丢掉，生活中也不觉得少了什么时，恍然间才意识到自己的错。

随着年龄的增长、所经历的磨难、阅历的丰富、知识的积累与沉淀，人们对生活产生了新的思考与认知，与此同时也对传统思想、观念进行了深刻的审阅、划定与诠释，对一切诸如习惯、观念、想法、经验、爱好等无形的东西也在不断地进行选择与替换，一些过往的或给生活造成不必要的麻烦和不便的，我们要有勇气决绝地丢弃它。这样一来，我们才会有足够的精力、心情、空间，学习和接纳一些科学的、新鲜的事物。

舍弃某些东西不易，想要一直守护某些东西也并不容易。

保留一份单纯善良，坚守一份信仰与追求；保留一份正气与良知，坚守一份自尊与操守；保留一份希冀和梦想……

尊严、道义、气节、操守、信念、志向，这些并不仅仅代表个人，而且与一个民族、一个国家的声望、个人命运息息相关，我们没有原因和借口去回避和拒绝。“不为五斗米折腰”的陶渊明，“留取丹心照汗青”的文天祥，“先天下之忧而忧”的范仲淹，以及一些现代的家喻户晓的爱国仁人志士的可歌可泣、感人至深的英雄事迹，启迪、鞭策、鼓励着一代又一代有识之士为了国家和民族的事业、前途、命运，认识个体的力量，出生入死，即使抛头颅洒热血也在所不辞，用个人的青春、幸福、鲜血、生命来唤醒自己的民族、希望和革命事业的成功，铸起一个新国家，成为中国的精神领袖。

同时，在欲望增多、物欲横流的时代，面对社会市场激荡冲击而滋生出的种种物质或精神的刺激、引诱和陷阱，人们内心仍无法消除对利益的渴望，仍经受着各种挑战和考验，人们的观念、伦理道德也相应地发生了一系列的改变与革新。许多经得住革命战争的枪林弹雨洗礼的身躯，却被用钞票包裹的“糖衣炮弹”所击败；许多人能平静地面对和迎战各种困难、挫折、坎坷，却不能欣然承受住“绚烂归于平淡”的打击，最后在一片乱声中谢幕。

寂寞是一种享受

不少现代人惧怕孤独，其实，它可使浅薄的人躁动，使空虚的人苦闷，也可使睿智的人深沉，使淡泊的人沉着冷静。

北宋文豪苏轼因“乌台诗案”被贬至黄州 4 年后，写下一篇短文：

“元丰六年十月十二日，解衣欲睡，月色入户，欣然起行。念无与为乐者，遂至承天寺，寻张怀民。怀民亦未寝，相与步于庭中，庭下如积水空明，水中藻荇交横，盖竹、柏影也。何夜无月？何处无竹柏？但少闲人如吾两人耳。”

透过寂寞，我们品味了几分释然，几分洒脱。

古今中外，智者们往往耐得住这份寂寞，因为他们深知，只有寂寞才能获得最好的，一个人要想成功，必须能够独自守望这份寂寞。

其实，寂寞是一种无法言喻的感觉，在感到寂寞时轻轻地关上门和窗，远离外面喧闹的世界，默默地坐在书架前，用粗糙的手掌轻柔地擦拭去书本上的灰尘，翻着书页，嗅觉立刻又进了久违的书香世界。

关于寂寞，梁实秋先生曾说：

“寂寞是一种难得的清静。我在小小的书斋里，焚起一炉香，看着袅袅的一缕烟线笔直地上升，一直戳到顶棚，好像屋里的空气是静止的，我的呼吸都没有晃动出一点波澜似的。我只身看着远处那条烟线发愣。屋外庭院中的紫丁香还带着许多嫣红焦黄的叶子，枯叶乱枝的声响可以很清晰地听到，先是一小声清脆的折断声，然后才是撞击着枝干的磕碰声，最后是落到空荡台阶上的拍打声。在这种时节里我感到了寂寞。在这寂寞中我意识到了我自己的存在——一种片刻的孤立的存在。这种境界并不太易得，与环境有关，但是更与心境有关。显然寂寞不一定要到深山大泽里去寻求，只要内心清净，即便在市场里、陋巷里，都可以领悟到一种空灵悠逸的境界，正所谓‘心远地自偏’是也。在这种境界，我们可以在想象中自在的飞翔，跳出尘世的污垢，与古人同游。正因为这样，寂寞是一种清福。

“在礼拜堂里我也有过同样的经验。在肃穆庄严的教堂里，从彩色玻璃窗透进一股迷茫的光线，低沉的琴声好像是把人的心都洗淘了一番似的，我突然感到了我自己的渺小。这渺小的感觉却是我意识到我自己存在的依据。因为平常连这一点点渺小之感都是不曾有的！

“我的朋友肖丽先生住在广济寺里，据他告诉我，最后的一个夜晚，月光皎洁，天空如洗，他独自踱出僧房，站在大雄宝殿的台阶上，翘首望月，月色是那样的晶莹，蓊郁的树是那样的临风不动，寺院是那样的肃穆，他忽然顿有所悟，悟到大地永恒，悟到自我渺小，悟到四大皆空的境界。我相信一个人如果常有这样的经验，那么他的胸襟自然豁达寥廓……”

人世间，寂寞与否，必然取决于心境的有无所依。

真正体验了寂寞的人，才会更加珍惜生活的点点滴滴，并为之感动。

Part 4

你的爱，要留给那些值得的人

留点神秘感给对方

为了让自己有神秘感，我们有时不能直言爱意。

胡朋是一个老实人，他爱上了同事小玉，并觉得小玉对自己也有那种意思，但却拿不准，因而心神不宁。一天，他决心向小玉求爱，心想不管结果怎样，至少可以有个答案。刚巧他从办公室出去办事时，在走廊里碰见了小玉。胡朋一冲动，对她说："小玉，我想和你谈谈。"小玉走过来问："什么事？"胡朋张口就喊："我爱你！你愿意跟我交朋友吗？"

小玉非常惊讶，啐道："神经病！"说完匆匆而去。胡朋受此打击，此后不要说求爱，连小玉的面都不敢见了。

还有一个人反其道而行之，他只对一个女孩好，但从不向对方表明，搞得对方牵肠挂肚。最后，他朦朦胧胧地说出了自己的心思，女孩就成了他的女朋友。

爱情需要新鲜感，所以，不要让对方完全掌握你的一切。如果对方对你了如指掌，你就会迅速失去对他的影响力。求爱是一种特殊的爱的信息交流，要有一定的铺垫。如果不讲求爱技巧，贸然向人家求爱，就无法收到预期的效果。人对太轻易得到的东西往往不屑一顾，人性就是如此。欲擒故纵，进退有度，方能百战百胜。

攥得越紧越易失去

女儿谈了一个男朋友，但两个人经常闹些小矛盾，于是问母亲："妈妈，为什么你和爸爸结婚这么多年也没有吵过架呢？秘诀是什么？"母亲微笑不语，带她到水龙头跟前说："你用手接一些水。"女儿打开水管，并拢手指把双手合成碗状，捧了一些水在手中。这时母亲说："把你的手攥紧，看能不能存住水？"女儿依言将双手握紧，水顺着指缝泻落，再张开手时，除了湿漉漉的水渍之外，什么也没有。母亲语重心长地对女儿说："爱情和这水一样，你要想拥有它，就必须给它足够的空间。否则，你越想抓紧，它流失得越迅速。"

女儿恍然大悟，从此不再时时要求男友陪在身边，两个人之间再没有出现过危机。

爱情是需要经营的，两个初涉爱河的人，被爱情冲昏头脑，恨不得时时刻刻相守，片刻的分离也觉得漫长如三秋不见。然而等度过了热恋期，感情降温之后，就开始厌烦这种朝夕厮守的生活，这个时候，就需要给彼此空间。可是很多人意识不到这样做的重要性，认定爱情就是要两个人合而为一。于是争吵不可避免，一个聪慧的人，应该明白，即使两个人再怎么相爱，也是两个独立的个体，也有自己的生活空间。

果断排除爱错了的人

你恨自己的有眼无珠，被他骗得一塌糊涂，而沉浸在一场自编自导的爱情里，被蒙了心智。没有发现对方的别有用心，还以为自己找到了真正相爱的人，直到赤裸裸的真相摆在眼前才肯幡然醒悟：你遇到的不过是一个道貌岸然的卑鄙小人。

你们必然要分开，除非你愿意忍受所有的委屈，可是，你又不甘心就此放手。你觉得自己伤痕累累，你觉得愤怒不平，甚至想要和对方死磕到底。然而，爱一个人没有错，你完全没有必要对此耿耿于怀，离开那个伤心之地，去呼吸外面清新的空气吧。

如果你还能够设身处地理智地思考一下，你会发现，其实那样的人懦弱、卑鄙到让人不屑一顾，他甚至比你还要可怜，实在不值得你用任何情绪来悼念，不如不去恨他，无论他是怎样的一个人。

你曾真心爱过，因此你知道，再碰到这类的人再也不要有什么交集。对你而言，这未尝不是有所收获，因为你排除掉了一类不值得你爱的人。千万不要抱怨命运为何让你遭遇到这样的经历。这不是多么大不了的事，你应该学会独立而坚强地面对所有的事情，包括感情上的伤害，处理好这些伤害，让自己成长起来，这样你才会变成一个成熟而富有魅力的人。

终有一天，你会发现，我们曾受到的伤害早已烟消云散，却让我们更深刻地懂得了如何去爱，什么样的人值得爱，而不是草率地交出我们的爱情，听由命运的安排。那些我们不愿意面对的过往，终会变得缥缈虚无，成为记忆中轻描淡写的一笔。若没有经历这一切的磨难，怎能让我们慢慢走向成熟理智，拥有更多的勇气和智慧来面对我们真正的爱情呢？

宋林是一个优秀英俊的男人，他和女友甘露的爱情有了濒临崩溃的迹象，但他不但没有采取任何补救的行动，反而和办公室新调来的一个小女孩上演一次次的暧昧。这一切，甘露全然被蒙在鼓里。

一次，宋林借口说周末加班，煞有介事地拿着包出门了，甘露体贴他上班辛苦，便兴致勃勃地为宋林做了美味的便当，送到了宋林的公司，结果公司里根本没有人。甘露十分伤心，她等到深夜，宋林才一脸微醺地回来，说是加完班和同事一起吃了个饭。甘露并没有当面拆穿宋林，她想给宋林一个悔过自新的机会，让他意识到谁才是他最爱的人。

甘露觉得自己最近不够体贴他，于是，她温柔体贴地照顾宋林，还撒娇地要求宋林带她去他们第一次约会的地方吃饭，想让他找回当初的爱情记忆。

宋林的确有所触动，这段时间他没以前那么忙了，他有了更多的时间陪甘露一起吃饭、逛街、游玩，甘露也在为自己能够挽回爱情而感到心中欢喜。过了一段时间后，甘露发现宋林的确和那个女孩断了联系。

然而，这样的日子没有过多久，甘露发现，宋林又和另外一个女孩产生了纠缠不清的感情。甘露十分失望，宋林就像一只喜欢偷腥的猫，她无法束缚他的人，更看不住他的心。即使赶走了一个女人，可她难道一辈子都要和不同的女人战斗？

对于宋林，甘露心有不舍，然而，她也很清楚，宋林虽然是一个再优秀不过的男人，但是，只花心这一点就已经掩盖了他所有的优点，宋林不值得她爱一辈子。

于是甘露离开了宋林，尽管宋林再三保证以后会好好爱她，但甘露心里清楚，那不是宋林能够做到的事情。之后，每当甘露看到宋林这样的男人时，都会从心底里发出一声冷笑。

一个成年人，就要有成年人的坚强，不要让所有人都小心翼翼地保护你，容不得受到一丁点儿的伤害。我们承认，确实有这样的人，他们从出生到死亡，活得一帆风顺、毫无悬念，人们总是羡慕他被幸运之神护佑一生。然而，并不是这种生存状态就一定值得我们羡慕，要知道，没有接受过风雨的洗礼，哪能看见美丽的彩虹？没有经历过苦难的折磨，就很难拥有宁静的双眸。

你心地善良，觉得自己原本应该生活在一个纯净的环境中，却偏偏遇上了不对的人，让你对这个世界愤愤不平。其实这是再平常不过的事了，每个人都有可能爱上一个不值得爱的人，你碰到了，被你发现了，不要犹豫，马上离开。排除掉不值得爱的人，会让你更清楚地知道，什么样的人才更值得你去爱，你就更有机会去抓住真爱。

人生不可以回头，放不下也得放下。何况，只要还存在这个世界上，你还有很多的可能，何必自己囚禁自己呢？

在爱情里要如人饮水，冷暖自知

每一段爱情里面，都有光鲜背后的阴暗，并不是一如你所看到的那样美好。看起来再怎么光鲜亮丽的爱情，也有它想象中不够美好的地方；看起来如何寒酸落魄的爱情，也有它甜蜜温馨的美好时刻。

其实，你完全没有必要羡慕别的人，世界上没有真正完美的爱情，你看不到只是因为你还不够了解。我们在这个世界里生活，不能不食人间烟火，童话故事里王子和公主的爱情如果延续下来，他们也会在婚姻里面吵闹哭泣。

百合豪华的婚礼是当时重大的新闻，当身材高挑的她穿着从巴黎定制的精致婚纱出现在盛大的婚礼上时，明晃晃的大钻戒勾起了很多女人的羡慕。哪个灰姑娘不梦想着有这样的一场婚礼呢？挺拔帅气的新郎，典雅精致的布置，如梦如幻，就像是一个童话，温柔的王子为美丽的姑娘穿上了水晶鞋，生活从此打开了另一扇华美的大门。

时隔多日，人们仍然会在闲暇时谈论这个婚礼，这一切无疑极大地满足了百合的虚荣心，然而，百合的生活并不像想象中的那般幸福美满。要知道，当初执意要嫁给现在的老公，很大程度上也是由于他显赫的家世背景，然而她的婆婆总是不喜欢她，这个眼神凌厉的女人虽然在儿子的威胁下，勉强地接受了他们的婚姻，然而却从未真正地承认百合的存在。

百合婚后的日子并不好过，婆婆的刁难让百合每日提心吊胆，丈夫也并不像她期望的那么呵护她，他就像一个贪玩的孩子，还没有做好担负起一个丈夫职责的准备。婚后不久，丈夫就经常在外面过夜，这样的生活，虽然锦衣玉食，却让百合产生了痛苦万分的感觉，她只有一个人偷偷地抹泪，并开始为自己当初的决定感到后悔。然而，每当她有所抱怨时，所有的人都以为她不过是跳上枝头后的无病呻吟而已。

婚后一年，百合开始无休止地和丈夫吵架，这个没有责任心的男人甚至不回家，懒得再见百合的面。百合一个人空虚寂寞地守着一屋子空气，然而，越来越憔悴的她依然守着这个名存实亡的婚姻不肯离开，可能，只不过是没有勇气面对别人的闲言碎语罢了。

你不是为别人而活，不是为了别人的眼光而存在，你是为了自己而活，只有自己才知道生活中的一切。为了虚荣心而存在的爱情本身就是一个悲剧。即便所有人都羡慕你的拥有，而你不快乐、不幸福，为什么还要坚持呢？ 人生不过短短数十年啊，不要被太多的东西牵绊住你的脚步，而让自己失去了正常的判断力。

如人饮水，冷暖自知。 没有经历过就体会不到对方真正的好和坏。 然而，我们当中的很多人却总是羡慕别人的生活，别人的老公总是温柔体贴，别人的老婆总是善解人意，别人都生活在爱情的蜜罐里，而我们自己却在爱情路上的某一路口，清醒地意识到自己的爱人不是那么尽如人意，我们可能会抱怨，感慨着最好的不在自己的身边。

要知道，没有人是完美的，如果你觉得有，那是因为你还不够了解这个人。 如果你打算和一个人携手一生或者成为莫逆之交，就一定要了解，并坦然接受他除了优点以外的缺陷。鞋子合不合适，只有脚知道；爱人是否真的贴心，别人不能体会。 不要被表面的现象迷惑，盲目地定义自己或别人的爱情。 学会包容，才不会让最合适的人从你身边溜走。

莉莉是刚毕业的大学生，罗杰是一名优秀的设计师，漂亮高挑的莉莉在与罗杰的工作合作中，对这个才华横溢的大男孩充满了钦佩。与罗杰相处一段时间之后，莉莉惊奇地发现，罗杰的知识是那么渊博，天南海北，他好像全都知道，由此，莉莉对罗杰更是充满了好感。

于是，在莉莉的主动示好后，两人成了一对恋人。当热恋的温度开始下降，莉莉发现，罗杰并没有她想象的那么完美，其他人都不知道，这样一个高大的男生居然怕黑怕打雷，一到晚上，罗杰的神经就高度紧张，甚至睡觉的时候都要开着灯。

罗杰告诉莉莉，他之前的两任女友就是由于这个原因而分手了。莉莉听了，温柔地告诉罗杰，她没觉得有什么不好，这样，让她觉得他是一个很真实的恋人，而不只是偶像那么遥远。

听说，罗杰开灯睡觉的毛病在莉莉的帮助下改掉了，后来他们结婚了，生活得十分融洽。

不要对恋人要求太高，即便对方存有一些你并不喜欢的习惯，她可能有些小心眼，喜欢斤斤计较；他可能睡觉会打呼噜，完全不懂得浪漫。这些都是无伤大雅的事情，只要你们有足够的爱和耐心，两个人能够坦诚地不断磨合，总会找到平衡的支点。

然而，也不要为了来自外界的因素而降低了你的择偶标准，你可能年纪大了想要找个港湾，可能因为对方的物质条件而动了心，可能无法拒绝父母的施压，但是不要草率地选择你的另一半，要知道，婚姻就像是打牌，不能够轻易洗牌的。就像亦舒曾说过的：“真正有气质的淑女，不会向别人炫耀什么，她不告诉别人她读过什么书，去过什么地方，有多少件衣裳，买过什么珠宝，因为她没有自卑感。”

事实就是这样，你是不是幸福，和别人没有任何的关系。你完全没有必要因此觉得盛气凌人，更无须在流言面前自卑怯懦。只有自己能把握真正的幸福，只要你自己认为幸福，别的人都没有发表异议的权力。

爱别人更要爱自己

恋人之间总是喜欢相互承诺，承诺爱情能够持续到天荒地老，承诺幸福能够地久天长，然而，我们都知道其实并没有真正的天荒地老，总会有一些东西悄悄地吞噬着爱情。然而，每个渴望爱情的人仍然会保持最初那份希望，希望能够永远保鲜我们的爱情，幸福可以永远伴随左右。

世界上并不存在真正的“永远”，任何时候，都不要对恋人说什么永远，无论你遇到一个如何让你一见倾心的人，或者你倾其所有去深爱的那个人怎么深深地伤害了你。保持一颗平静的心，才不会让自己过于盲目，在爱情中迷失了方向。要知道，爱是享受，是消费，是奢侈，但不是占有，也不是天长地久。

一个懵懂的孩子，常常喜欢收集一些东西。其实，他的好多收集在成年人看来往往不值一提，孩子们的那些宝贝，不过是些糖果纸、饼干盒，或者一些小布头之类。

父母虽然常常对孩子的这种收藏嗜好嗤之以鼻，但是碍于孩子的坚决，往往会给孩子一个不大的空间装他心爱的“宝贝”，但若装满了必须自行清理、取舍。

耐人寻味的是，每次孩子清理盒子时，都会丢出一些东西，当初那么喜欢的东西，才经过一两个月的时间，就不幸地进入垃圾的行列，就连他自己都会奇怪，当初怎么会喜欢这样的东西。

的确是这样的，人的思想常常会变。就像我们小的时候，常常勾着手指头和小朋友承诺“我们是一辈子的朋友”，事实上，我们中有几个人能成为一辈子的朋友，然而，那个时候，在我们小小的心里却相信，一个小小的承诺真的能够天荒地老。

生命的轨迹是很难按照你的想法前行的，更何况我们的内心也不可捉摸，你这个时候的想法，不一定代表你会一直坚持下去。所以，无论做什么都不要急着说永远，谁知道下一秒会出现什么突发状况呢，这当然也包括你的爱情。

一个正在上高中的男孩，爱上了他的实习女老师。女老师刚刚从师范学校毕业，也像是一个还没长大的大孩子一样，何况，女老师长得又那么漂亮。

男生想尽办法接近女老师，找好多问题去请教，放学之后也会在办公室里逗留好长一段时间，女老师发现了这个男生别有深意的眼神，但她并没有明说，而是暗示男生现在最重要的事情，是要好好学习。

然而，男生似乎不懂得老师的意思，或者他宁愿假装不懂罢了，为了引起女老师的注意，他甚至故意逃课，或者故意不按时完成作业。这点儿小伎俩当然瞒不过女老师，但是她并没有声色俱厉地批评男孩。

一天放学之后，女老师让这个男生留下来，等到同学们都走光了，女老师坐在男生的对面，男生似乎感到了什么，总是埋头不说话，女老师缓缓地告诉男生说，在他以后的漫长道路里，他生命中的女孩还很多。而男孩却固执地说，不会了，他只喜欢一个人而已。

女老师笑了，她的脸像是一朵绽开的百合花，美丽超凡。她告诉男孩，如果他坚持，将来等他有出息了，可以回来找她。而现在，他需要做的是好好学习。

说完，在男孩的额头上轻轻地吻了一下。

从这之后，男孩像变了一个人一样，学习特别刻苦，后来他考上了著名的大学，又找到了一份不错的工作，最后也娶到了一位如花美眷。当然，妻子并不是当年他喜欢的女老师，他果然再没有回去找过那个女老师。然而，男孩一直对她心存感激，她看穿了一个孩子的固执，却没有生硬地伤害那个男孩青涩的心。

人是善变的，由生涩到成熟稳重本来就是一连串的蜕变。有时候，我们的心灵还不够强大，当我们向更远处看时，才会发现，之前的某些想法实在是再幼稚不过了。所以，当你在尚未破蛹成蝶之前，先别急着说出“永远”的承诺吧！

别为了离开的恋人而使生活变得灰暗，也别轻易地说自己永远不能爱上另外一个人，要知道，时间是最好的良药，它能冲淡一切的记忆，不管这些记忆是甜美还是痛苦。当我们受到伤害的时候，千万别以为人生的幸福从此不在，你还有很多的可能，而不是永远都会保持现在的状态。

爱一个人的时候，别草率地以为你们就注定一生一世，你爱的是现在的这个人，深爱着对方的也是现在的你，你们可以一起甜蜜地规划未来，但是并不能保证未来就一定是你想象的样子。无论现在是怎样的信誓旦旦，都不能够排除你们有一天会成为陌生人。

未来是个未知数，有许许多多的不确定，我们要做的只能是把握好现在，而不是把希望寄托在对以后的期待上。一个真正懂得生活的人，在转折来临时会泰然处之，而不是埋怨为何当初的承诺出现了差错。

她一直不能忘记，那个有着清澈眼神的男孩，曾经拉着她的手，对她承诺要照顾她一辈子的情形。当他俩有争执的时候，脑海里一出现这个画面，就会让她的心一阵阵地疼痛。不是不知道，他已经改变了，可是他们当初的承诺怎么能说变就变呢？

她不离开，即使她知道他们的感情早就已经变质，可是她依然固执地抱守着曾经的记忆，幻想着爱情能够回到从前。直到她看到酩酊大醉的他搂着别的女人，她觉得自己似乎有些无动于衷，这时候，她才发现，原来当初承诺要一辈子爱她的他，也不再是原来的样子。

于是，这场旷日持久的爱情战草草收尾，迅速地结束了。

每一个人都不能肯定自己一定会守护住自己的爱情，我们当然也不能苛求别的人就能够爱得天长地久，当然，这些并不妨碍我们在爱别人的时候付出自己全部的真心，在失去爱人的时候感到痛彻心扉。

学会用信任和宽容收获爱

王丽原本很幸福，她的丈夫很爱她，对她百依百顺，可她却总怀疑某一天自己的幸福会被别的女人偷去，所以提心吊胆，几乎体验不到幸福的味道。

莫非婚姻真的会埋葬爱情？难道男人真的吃着碗里看着锅里的？难道男人真是没长性的动物？于是，她对丈夫起了防范之心：见到丈夫外套上有根长头发，就大吵大闹，非说他与别的女人在外面厮混；在丈夫身上找不到长头发，她仍然大吵大闹，说他竟然围着秃头女人转。

某天，王丽接到丈夫的“加班”电话，她一下就不知所措了。“加班”，这在男人的字典里不就是“外遇”的代名词吗？于是，她决定采取行动自救，去公司给丈夫送“惊喜”。

晚上十点多，她悄悄来到丈夫公司楼下。见整幢办公楼灯火通明，她愣了一下，决定先给丈夫打个电话。

电话关机。“鬼才相信没事。”带着猜疑，她生气地跑到楼上。

结果不言自明。如此猜疑，一次，男人认为她深爱自己；两次，男人认为她离不开自己；三次，男人虽然很烦，但仍一笑了之；四次、五次……人的忍耐程度毕竟有限，不得不拂袖而去。

此女的行为在女人堆里是很常见的，因为女生天生情感细腻，容易多心，爱猜疑。

猜疑是女人特有的人性弱点。好事为何总降临到别的同事身上？她跟领导一定有什么猫腻；领导看我的目光怎么总是怪怪的？一定对我有什么想法；那家伙最近怎么不太热情了？肯定怀疑我做了什么对不起他的事；男友对我是真心的吗？怎么那么不舍得为我花钱；他说“只爱我一个”是真的吗？他之前的女友不定有多少呢；这个男人我可以依靠一辈子吗？我跟他能白头偕老吗？老公的同事说我“贤妻良母”“特有气质”，不是在嘲笑我，说我丑吧……从工作到生活，从恋爱到婚姻，女人猜疑的一颗心就没踏实过。尤其是结婚后，那颗心更不放在肚子里，无时无刻不担心丈夫有外遇。

猜疑的女人从来不认为自己的猜测是错的。女人猜疑的依据在外人看来不可思议，但在她们内心却不容置疑。当猜疑的念头控制她的时候，任何理性的解释都无济于事。在她眼里，假想的东西就是现实真理，她甚至能编织出无数的证据证明自己的猜测。就如“疑邻窃斧”者，在确定老公没有背叛自己之前，看老公的神色仪态、言谈举止，无一不是有外遇的样子。但事实最终证明，猜疑就是猜疑。它不仅让男人倍感压力，也让整个家庭陷入了危机之中。

作为女人，面对疑虑最有效的做法就是自信、信任和宽容。有了信任和宽容，女人就能很好地把握自己的情绪，“任凭风吹浪打，胜似闲庭信步”，很好地分辨出臆断和真实，进而收获真正的爱与信任。

小事情会将婚姻压碎

芝加哥的约瑟夫法官在审判过四万多件不愉快的婚姻案件之后，说道："婚姻生活为何会不美满？ 最基本的原因往往在一些鸡毛蒜皮的小毛病上。"

罗斯福和他夫人刚结婚不久，他的夫人成天都在烦闷，因为她的新厨师烹饪技术很差劲。"假如事情发生在现在，"罗斯福夫人说，"我就会耸耸肩忘却了事。"好极了，这才是一个成年人的做法。甚至最专制的女兵凯瑟琳，在她的厨师不小心把肉烤焦的时候，通常也只是一笑置之。

伦琴曾到芝加哥一个朋友家里吃饭，配餐的时候，有些小事他没有处理好，大家当时谁都没有注意到，其实就算注意到，也不会在乎的。可是他太太看见了，立即在众人面前跳起来指责他，"伦琴，"她大声叫道，"瞧瞧你干的这些事！难道你永远也学不会如何配餐吗?"

然后，她面带委屈地告诉众人："他老是犯错，根本不专心。"伦琴事后说："可能我确实如此。"但是他的朋友仍然佩服他能够跟他太太相处二十年之久。其实，许多丈夫宁愿吃一两个涂了芥末的热狗，也不愿听妻子的唠叨。

婚姻中的压力除了来自现实生活的柴米油盐外，其中大部分来自于一些小细节和小毛病。

过度浪漫的期望它，会使我们有对婚姻生活的过高期望并对伴侣提出的过度要求。追求罗曼蒂克的爱情生活，对婚姻生活要求过高，期望新婚的甜蜜与和谐永远保持下去，爱情多姿多彩，热情持久不衰——这些不切合现实的期望，一旦无法在现实生活中实现，双方便会发生摩擦冲突，从而引发严重的婚姻问题。

过分依赖父母。在心智上尚未成熟，婚姻生活中出现任何问题，都会求助于父母，而不与伴侣商量。如果夫妇过分依赖父母，当婚姻生活出现问题时，不是与配偶商量如何应付承担，而是分别向自己的父母寻求支援或指示。已婚夫妇应该清楚，他们的将来是与配偶连接在一起的，要视对方为最信任、最亲密的人。否则，这种脆弱婚姻一般会因“寻求外力干预”而导致失败。

追求生活戏剧化。希望生活像戏剧一样丰富多彩，认为自己是戏剧中的角色，对喜怒哀乐都做出剧烈的反应，不但会令对方感到“咄咄逼人”的压力，而且通常在出现问题之后，由于反应过于强烈而失去回转机会，导致婚姻宣告失败。

过度迁就。过度迁就宠溺伴侣，事无大小都代劳，唯恐不周，长年累月之后，使对方认为是理所当然的。如果偶然“侍奉不周”，就会导致冲突摩擦一触即发。长此以往，若对方没有做出相应的回报，自己就会感到心理不平衡，感情很容易产生裂痕。

喋喋不休。无法让对方有相对安静的环境，时间久了让对方感到厌倦。

过分懒惰。对伴侣的依赖性太大，事情无论大小都由对方去做，自己则像老爷、太太一样心安理得地享受伴侣的侍候。久而久之，对方会将其视为累赘，不仅体味不到生活的温馨，还会认为婚姻没意思。

过分挑剔。对配偶过分挑剔，总在众人面前对配偶的言行举止和思想行为做出批评，自以为是爱对方，苛求一切事情务必十全十美，夫妇双方都强制要求配偶达到自己的最高标准。这样的婚姻会因双方要求过高而出现不必要的摩擦，天长日久，即使婚前关系再好也不易维持。

过分吝啬。不但自己甚俭，也不容许伴侣有超出常规的消费，生活上应有的娱乐或享受都被剥夺，生活毫无乐趣。即使目前家庭经济条件宽裕，也还是担心好景不长。不容许配偶在生活上有更多的娱乐或享受，甚至剥夺了自己和家人的一些基本生活乐趣，不重视配偶间的情感生活，却在心理上忧虑过多。

多愁善“病”。这类人以女性居多。她们不断为一些想象出来的“疾病”向丈夫诉苦、抱怨，自怨自艾，以期得到丈夫的关怀和注意，但往往弄巧成拙，使丈夫无法忍受。

忙于“事业”。永远不会静下来，总是忙个不停，他们没时间休息，总这样会令配偶感到被冷落。这种人若不控制自己，多抽出时间陪陪配偶，很容易因为专注事业而导致婚姻关系破裂。

婚姻也有最佳距离

爱虽然是自私的，但爱人并不是你的私有财产。婚姻是用温柔、委婉、体贴、关心以及沟通理解来维系的，绝不是用一根绳将丈夫牢牢拴在腰带上就高枕无忧。

夫妻两人之间的关系，就像是冰天雪地里的两只豪猪。因为天气太冷，试着靠近对方的身体取暖，但当一方的刺扎到另一方的身体时，双方都会觉得疼痛难忍，只好分开。可是，天气越来越冷，为了取暖，两只豪猪不止一次地尝试靠近又分开，如此反复多次，最终找到了不会刺到对方，又能取暖的恰当距离。用两只豪猪的故事比喻家庭中夫妻之间的距离再恰当不过了，太贴近容易让对方受伤，太远了又感受不到对方的关怀，最好是有点距离而又不太远。

有的妻子担心丈夫离自己而去，想尽一切办法不让丈夫有自己的空间，期望把丈夫的一切都纳入自己的视野。

王静身材匀称，外貌漂亮，性格温柔可人，所有人都认为她是贤妻良母。她的丈夫王博也堪称仪表堂堂，并且对妻子的感情一如既往。随着时间的推移，王静心里不知什么时候增添了一个奇怪的想法：为什么王博总是对自己这么好，是不是做了什么对不起我的事情？于是，她开始观察丈夫的行踪，不让王博离开她的控制范围。王博是一家外资公司的业务人员，业务上常有应酬。因此，王静开始怀疑起来，难道他真的有那么多应酬？于是，她就开始“查岗”，跟踪过几次之后，看到王博与男男女女出入酒楼、保龄球馆、娱乐场所，便更加不放心。她想出了一个对策：每次王博说要去应酬，她都不动声色，但是只要王博一出门以后，她就会打电话。今天是自己突然患上了严重的病；明天是宝贝儿子放学没有回家，找遍了亲戚朋友和儿子的同学家也没有找到，儿子失踪了；后天是自己将钥匙忘在了家里，而自己只穿了一套睡衣站在楼梯间……更为离奇的是，她谎称父母出了车祸、家里遭了窃贼、自己被几个男人非礼……

王博爱妻心切，每次都上当回家，每次都无可奈何地苦笑，再以后是发火、愤怒、大吵。可是王静铁下心来，坚持自己的做法。王博屡次与客户爽约，或半途退场，接连几单生意都丢了，在又失去一笔大生意后，被老板炒了鱿鱼。最终，王博在无奈之下绝望地跳下了高高的铁桥。

悲痛欲绝的王静怎么也想不到，自己就是这场悲剧的总导演。她想把丈夫完完全全地据为己有，却不曾料想他永远地离开了世界。

王静的悲剧只是一个个例。另外，把男人拴在腰带上的女人也许从未想过，属于世界的男人变成了只属于一个女人的腰带时会变成什么？

有一位年轻聪明的女人，嫁给了一位能干并且体贴的如意郎君，她心中的幸福不言而喻。但是，那位如意郎君却极爱郊游，和朋友在一起时，他觉得能收获一种鼓舞、一种力量、一种鲜活的空气。可每每兴犹未尽时便记起身后的家，感觉到家像一只远远伸来的要拽他衣襟的手。

回到家中，虽然有修养的妻子一般不会十分责怪他因游玩而那么晚才回家，但那种不悦与忧伤却使丈夫的心中蒙上了一层阴影。丈夫疲惫地靠在沙发上，家还是那样明亮、清爽、舒适宜人，端来喷香可口饭菜的妻子却一脸伤心。在丈夫埋头吃饭时，她流泪说："你还记得家呀！"于是，丈夫赶紧一个劲儿地解释，照例描述友人如何蛮横地挽留，照例保证下不为例。

丈夫也曾找机会告诉妻子："林子里树与树之间离得开点才能长得粗、长得高。形影不离不应是夫妻的最佳境界，还是有点距离好。"妻子却不满地说："听不懂你的歪理。"天长日久之后，妻子渐渐明白了丈夫的喜好，于是鼓励他外出，但会很细心地叮咛丈夫注意安全。

因此，尽管每次都玩到很晚，但丈夫都会回到家里。

是甩掉束缚扬长而去，婚姻破裂，家庭解体，想把门关牢结果却连门都被踢得粉碎；是男人被制得服服帖帖，变成了石榴裙下的奴隶，被妻子随意地操纵着，成为妻子意志控制下的工具，成了傻子；抑或是理解、相互信任，给予彼此一方自由的天地，这些都值得思索。

Part 5

世界没那么复杂，是你想多了

要拿得起，更要放得下

从前，一位很有智慧的少年背着行囊赶路，不小心绳子断了，行囊中的砂锅掉到地上摔碎了。少年头也不回地继续向前赶路。路人提醒少年说："你不知道你的砂锅摔碎了吗？"少年回答："知道。"路人接着问："那为什么不回头看看？"少年说："既然碎了，回头看又有什么用？"说完，他便头也不回地向前走了。

显然，故事中的少年明智地看透了路人没看透的东西，既然砂锅都碎了，回头看又有什么用呢？

同样的，面对生活中的许多失败，已经无法挽回，惋惜悔恨已经于事无补，与其在痛苦中挣扎浪费时间，还不如重新找一个目标，再一次为之努力奋斗。

人的一生中有许多东西我们终要放下。孟子说，鱼与熊掌不可兼得。如果不是我们应该拥有的，就果断放弃吧。几十年的人生旅途，有所得到，亦会有所失去，只有适时放下，才能拥有一份成熟，才会活得更加坦荡、愉快和轻松。

然而，生活在现实中，让许多人所放不下的事情实在太多了。比如做了错事，说了错话，受到上司和同事的批评，或者好心却让人误解，于是，心里总有个解不开的结……总而言之，有的人就是这也放不下，那也放不下；想这想那，愁这愁那；心事不断，愁肠百结，结果损害了自己的身心和健康。有的人之所以感觉有心无力，无精打采，未老先衰，就是因为习惯于将一些事情悬在心里不放下来，结果把自己折腾得既疲劳又累心。其实，跳出来说，让人放不下的事情多在财、情、名这几个方面。想明白了，看清楚了，也就看淡了，自然也就会放手了。

俗话说得好："举得起、放得下的是举重，举得起、放不下的叫作负重。"为了前面的掌声和鲜花，我们应该学会放弃。放弃之后，你会发现，原来自己的人生之路也可以轻松而洒脱。

现实有时会逼迫你不得不在权力面前妥协，不得不放走机遇。然而，有时放弃并不意味着失去，反而可能因此而得到。要想采一束美丽的山花，就得放弃城市的悠闲；要想做一名登山健儿，就得放弃娇嫩白净的肤色；要想跨越沙漠，就得放弃咖啡和可乐；要想拥有纯净的生活，就得放弃面前的虚荣；要想从深海中收获满船鱼虾，就得放弃温暖安全的避风港。

今天选择放弃，明天我们便会得到新的东西。干大事业者不会计较一时的得失，他们都知道该如何放弃、放弃些什么。一个人倘若将一生的所得都背负于身，那么即使他有一副钢铁臂弯，也会被压倒在地。昨天的辉煌不能代表今天，更代表不了未知的明天。

我们必须学会放弃：放弃失恋带来的痛苦，放弃屈辱留下的恨意，放弃心中所有难言的负担，放弃耗费精力的争执，放弃没完没了的解释，放弃对权力的争夺，放弃对金钱的欲望，放弃对虚名的争夺……凡是不必要的、不需要的、不要紧的、该放弃的，都应放弃。

对生活不要有过多的抱怨

一次阿根廷著名的高尔夫球手罗伯特·德·温森多赢得了一场奖金可观的锦标赛。领到支票后，他微笑着从记者的包围中走出来，到停车场准备回俱乐部。此时一个年轻的女子走向他。她向温森多表示祝贺后又说她可怜的孩子生了重病——甚至可能会死掉——而她却不知怎样去支付起对她来说是天文数字的费用。

这位年轻的女子满面泪水。她看着温森多，眼里充满了祈盼和希望。看起来她很爱自己的孩子，正在为也许会离开人世的孩子而感到伤心和绝望。温森多被母亲的爱深深地打动了。他不假思索，掏出笔在刚赢得的支票上飞快地签了名，然后便交给那个女子。

“希望这笔奖金可以帮到你。祝可怜的孩子好运。”他说道。接着他便驾车离去，甚至不问及那位女子的姓名。

一周后，温森多正在一家俱乐部进午餐，一位职业高尔夫球联合会的官员走过来，神色凝重似有什么严重的事儿。他问温森多一周前在停车场是不是将那笔奖金给了一位称自己孩子病重的可怜女子。

“是停车场的孩子们告诉我的。”官员说。

温森多点了点头，感觉似乎还有其他事发生。

“哦，你是说那个病重快死的小孩的事儿?”官员说道:“那个女人是个骗子，她根本就没有什么病得很重的孩子。她甚至还没有结婚哩！温森多，你让人给骗了！我的朋友。”

“你是说根本就没有一个小孩子病得快死了?”温森多的脸显得异常的明亮。

“是这样的，根本就没有。”官员深感同情地答道。

温森多如释重负地吁了一口气。“这真是我这一个星期以来听到的最好的消息。”温森多说。

对生活不要抱怨太多。舍弃一些看起来无关紧要的东西，你的人生会走得更加潇洒，而你也会获得比失去之前更加真实的快乐。温森多在乎的好消息——“那个小孩没有生命危险”和一笔可观的财富——锦标赛冠军奖金之间，哪一样是真正能让他感到快乐的，答案显而易见，是前者。他放弃与骗子计较寻回奖金，而在人性的大爱中得到了快乐，这是以舍为得的境界。

生气不如“消”气

在远在天边的古老西藏，有一个叫爱地巴的人。每次生气或者与人争吵的时候，他就以很快的速度飞奔到家，绕着自己的房子和土地跑三圈，然后坐在田边喘气。爱地巴工作非常努力上进，他所居住的房子越来越大，所拥有的土地也越来越广，但不管房子有多大，只要与人不和争执了，他还是会绕着房子和土地跑三圈。爱地巴为什么每次生气都有这种奇怪的举动呢？

每个熟识他的人，心里都疑惑，但是不管怎么问他，爱地巴都不愿意多说什么。直到有一天，爱地巴很老了，他的房、地都已经很广大，他仍然拄着拐杖艰难地绕着土地和房子走。好不容易等他走完三圈，太阳都下山了。爱地巴坐在田边喘气，他的孙子在身边诚恳请教他：“阿公，您岁数已经大了，这里没有人的土地和房子比您拥有的更大更多了，您不能再像从前一样，一生气就绕着土地跑啊！您可不可以告诉我，为什么您一生气就非得绕着房子和土地跑三圈啊？”

爱地巴心软了，终于说出隐藏在心中多年的秘密，他说：“年轻时，我一和人吵架、争吵、生气，就绕着房地跑三圈，跑的时候我便想，我的房子这么小，土地这么少，我哪有时间和资本去跟人家生气，每每想到这里，气就消了，于是就把所有的时间用来努力工作。”

孙子接着问道：“阿公，您年纪大了，又变成了最富有的人，为什么还要和以前一样跑呢？”

爱地巴笑着说：“我现在还是会生气，生气时绕着房地走三圈，走的时候我就想，我的房子这么大，土地这么多，我又干吗浪费时间精力与人争吵呢？一想到这儿，也就不生气了。”

现实生活中，如爱地巴一样处事的人恐怕一个都没有。不生气真的好难啊！难，并不意味着没有解决的办法，而怎样才可以不轻易生气动怒呢？

在灾难面前，应保持冷静的思考和稳定的情绪，遇事保持冷静的心态，客观地做出分析和判断。

要从多方面培养一个人的兴趣与喜好，如书法、绘画、集邮、养花、下棋、听音乐、跳舞、打太极拳等，可以开阔视野，提高思想境界、陶冶情操。

凡事要客观面对，自己对自己的能力有正确认识，遇事不要亲力亲为，要适可而止，不要好胜逞能而去做力所不能及的事。 不要过于计较个人的得失，不要常为一些芝麻绿豆的事大动肝火，愤怒要压制，怨恨要消除。 保持和睦的家庭生活和良好的人际关系、邻里关系，这样在遇到问题时可以从各个方面获得支持和帮助。

不纠结于已失去的事物

错过，不失为人生中一件痛苦之事。人生中一些极美、极珍贵的东西，常常与我们失之交臂，这时的我们总会因为错过美好而感到遗憾和难过。可是喜欢一样东西不一定非要得到不可，俗话说："得不到的东西永远是最好的。"当你为一份美好而心驰神往时，远远地欣赏它也许是最明智的选择，虽然错过了这份美好，但有可能有另一份美好等你收获。

著名的哈佛大学称要在中国招收一名学生，这名学生的所有费用由美国政府全额提供。初试结束了，有30名优秀学子成功入选。

最后一天，是面试的日子。30名学生及其家长云集锦江饭店等待面试。当主考官劳伦斯·金出现在饭店的大厅时，马上被大家包围起来，他们用流利的英语向他问候，有的甚至已经开始向他介绍自己了。这时，只有一名学生，由于起身晚了一步，没来得及围上去，等他想接近主考官时，主考官的周围已经是水泄不通了，根本就不可能再接近主考官了。

于是他不幸地错过了接近主考官的大好机会，他觉得自己也许已经错过了机会，于是有些懊丧起来。正在这时，他看见一个异国女人有些落寞地站在大厅一角，两眼无神地盯着窗外，他想：身在异国的她是不是发生了什么麻烦事儿，不知自己能不能帮得上忙？于是他走过去，彬彬有礼地和她打招呼，然后向她做了自我介绍，最后他问道："夫人，我能帮上什么忙的话请您告诉我。"接下来两个人聊得很是投缘。

后来，劳伦斯·金竟然选了这名学生，在30名候选人中，他的成绩并不是最好的，而且面试之前他错过了跟主考官套近乎、加深自己在主考官心目中印象的最佳机会，但结果却是塞翁失马，焉知非福。原来，那位异国女子正是劳伦斯·金的夫人。

这件事曾经轰动全城：原来错过了美丽，收获的并不一定是遗憾，有时候可能是更美好的事。

许多情感，可能只有经历过之后才会懂得，比如感情，痛过了之后才会懂得如何保护自己，傻过了之后才会懂得适时地坚持与放弃，在得到与失去的过程中，我们逐渐更懂自己，更懂生活，其实生活并不需要这些无谓的执着，没有什么真的不能割舍的，懂得放弃，生活会更加美好！

所以，即使当你处在人生的低谷时，也不要为错过而惋惜。失去后的折磨也许会带给你意想不到的收获。

世上本无事，庸人自扰之

有一个年轻人踏上了寻找解脱烦恼的旅途。他见山脚下绿草丛中一个牧童在那里悠闲地吹着笛子，无比的怡然自得。

年轻人便疑问道："你那么快活，难道没有烦恼吗？"

牧童说："骑在牛背上，笛子一吹，烦恼就都吹跑了。"

年轻人试了试，但烦恼丝毫没有减少。

于是他继续上路，继续寻找。

走到小河边，见一老翁正专注地钓鱼，神情怡然，面带笑容，于是便上前问道："你能如此投入地钓鱼，难道没有烦恼吗？"

老翁笑着说："静下心来钓鱼，烦恼都抛到脑后了。"

年轻人试了试，可脑海中的烦恼还是挥不去，怎么都静不下心来。

所以他只好又赶路，继续寻找。他在山洞中遇见一位面带笑容的长者，便又向他讨教解脱烦恼的秘诀。

老年人笑着问道："有谁绑住你让你不能移动没有？"

年轻人答道："没有啊。"

老年人说："既然没人捆住你，又何谈解脱呢？"

年轻人若有所思，顿时，恍然大悟，原来是被自己所设置的心理牢笼束缚住了。

著名学者萧伯纳的名言："痛苦的秘诀在于有闲工夫担心自己是否幸福。"故事中的年轻人，四处寻找解脱烦恼的秘诀，却不知道这引发了更多不必要的烦恼。许多烦恼和忧愁缘于外物，却是发自内心，如果心灵没有受到束缚，外界再多的侵扰都不能牵动你内心的分毫安宁，反之，如果内心波澜起伏，功利、悲喜都不能以平静之心对之，那么即便是再安逸的环境，都无法洗脱你心灵上的尘埃。正所谓"菩提本无树，明镜亦非台，本来无一物，何处惹尘埃"，所有的烦恼与忧愁，都是动摇的心所激荡起的涟漪，只要带着牧童牛背吹笛、老翁临渊钓鱼的心绪，静心享受生活之乐，不去庸人自扰，就定无任何烦忧。

相信总有一扇窗为自己打开

只要心中还有一线希望，大可不必理会来自外界的灾难是有多严重，无论源于自身的灾难是如何的巨大，脚下肯定有一条新的道路。在这个世界上，从来不会有什么真正的"绝境"，快乐和悲伤都是相对的。不管黑夜多么漫长，朝阳一定冉冉升起；无论风雪怎样肆虐，春风必将缓缓吹拂。对年轻的我们来说，当挫折接连不断，失败如影随形时，在命运的大门一个接一个被推上时，我们永远也不要质疑，总有一扇窗会为自己推开。"山重水复疑无路，柳暗花明又一村"，大多时候当我们由于进退无路而垂头丧气时，却没发现身旁已经有扇窗为自己开启。

有一位成功的商人叫麦士，他不走运地得了白内障，视力严重衰退，不要说阅读写作，就连驾车外出都极其艰难。与他一同患病的一位病友受不了如此折磨，每天不是喝得酩酊大醉，就是对别人大发雷霆，仅仅过了半年，那位病友便走向了天堂。目睹这种状况，麦士倍感凄凉。由于疾病，他已迫不得已结束原来的生意，他的生活逐步陷入了困境。

当时那段苦痛艰辛的岁月里，书给了酷爱阅读的麦士很大的慰藉。因为患病，麦士深刻体会到视力不良者的不便与需要，他下决心寻找一种可以方便阅读的字体。经过一年的研究，麦士看到在纸上印有粗线条的斜纹字体，不仅对视力有障碍的人大有帮助，甚至能提高一般人的阅读速度。于是，麦士把银行里他仅存的15000美元拿了出来，把新研究出来的字体整理完好，全面推广。麦士在加州自建印刷厂，第一部特别印刷而成的书上市了。一个月内，麦士收到了订购70万本的订单……

在人生中你最大的敌人就是自己，你只有赢了自己才可以面对一切。在任何时候，只要还有努力的机会，我们都要丢掉埋怨，放弃悲观，积极地投入到奋斗中，因为事情一定会有转机的。

很多挫折和困难并不可怕，害怕的是我们先败在思想上。遇到困难，只有两种结局：要么打败困难，要么被困难打败，当我们真的跨过去时，我们就会觉得这仅仅是一种经历而已。“塞翁失马，焉知非福”，大多时候，困难和挫折未尝不是一种机遇？就像麦士，如果不是由于眼疾，他大概就不会有这项成就，因为他不会有这种特殊的感受。

茫茫人海中，大家都会期盼找到那份永久的美好与幸福。但是，生活并非像我们想象中的那样一马平川，而是伴随着狂风暴雨、急流险滩，使我们常常陷入极度的痛苦与失落中。此时，失望就像一只罪恶的手撕拽着我们，试图把我们拉向看不见底的深渊。在这“万劫不复”的时候，希望就成为温暖而璀璨的太阳在我们心里，所以，要相信总有一扇窗是为自己打开的。

我们的人生一定会有经历痛苦、折磨和失败的时候。哭是一生，笑是一生，我们倒不如每天给自己一个未来，给自己一份豁达的心情，勇敢地去看待生活中的酸甜苦辣。受挫一次，对生活的感悟加深一层；错误一次，对人生的领悟更透彻一层；磨难一次，对成功的内涵更看清一层。从这个意义上说，想得到幸福，想活得快乐和充实，首先就得真正明白失败、挫折和痛苦。

每一个人都有自己的最高理想，可却只有小部分人才能完成自己的梦，原因就在于大多数人缺少永不绝望的信念，永不绝望，就是不管身处何地，心中一直存希望，只有永不绝望，我们才能用耐心去寻找机遇、开掘机遇，才能逐渐踏上成功之路。

当命运之门一扇接一扇地关闭时，一定不能置疑，更不应去说那些没有用的埋怨，总有一扇窗会为自己打开。不管生活多么无奈，要相信人生总是幸福的。无论我们现在感到怎样苦，相信苦后会是甜的；不管上天多少次玩弄我们，也要相信我们能掌握生命之舟的舵。

有些事情必须等待

等待，是生存的技能，要生存，你就得明白什么是积极的等待，在等待中蓄积力量，在等待中磨炼锐气，在等待中寻找机会。

在人生的道路上，假使没有耐心去守候成功的到来，那么，只有用一生的时间去直面失败。

在漫长的人生旅途中，总有一段除了等待以外再也没有办法可以通过的阶段。人的能力是有限的，总会遇到好多事情，自己没有办法解决而无可奈何，为了更好地生存和前途，在这个阶段，我们一定要等待。人生不可能有过不去的坎，遇到不顺利的事情，如果没办法改变，我们就需要暂时的等待。

蛹只有经过等待破茧，才能化为漂亮的蝴蝶。人的一生又何尝不是这样的，煎熬、磨炼、挫折、困难……这些都是成长中所必要的过程与代价。我们务必要以平常心去看待等待，一定不能因此而抱怨不已。只有历经等待，才能体会到快乐的得之不易，才能感到战胜困难的喜悦，才能变得更加坚强，才能更加领会人生的意义。

要想吃到可口的果实，一定要等到果子都熟了；要想喝上醇香的美酒，也要有耐心等待漫长的窖藏。很多事情我们务必要等待，心急如焚不行，拔苗助长更不应该。要知道，正是我们在漫漫长夜里甜蜜酣睡的时候，或许屋外的花蕾正竞相绽放，在黎明时候为自己准备了一份大礼。

有这么一则寓言：

> 一条小河，此岸都是荆棘以及杂草丛生，而彼岸布满鲜花，鸟鸣嘤嘤。此岸有几条毛毛虫，非常向往彼岸，它们埋怨它们的母亲为啥把它们生在这种鬼地方。蝴蝶母亲说："你们明白吗，出生在这边比那边更安全。如果要到彼岸，必须要等到长大，而现在还不是时机。"毛毛虫们都不以为然，只有一只例外。
>
> 某天，一名小男孩在河水里游泳，出于好奇心，游到此岸。几条毛毛虫迫不及待地落在男孩头上，想借此到彼岸去。不想男孩返回时，在下水的刹那，发现了头上的异样，几下就弄死了那几条毛毛虫。
>
> 没过多久，此岸再次出现了几只野鸭，又有几条虫想借助鸭子到达对岸，尽管这种尝试非常危险。但它们还是看好机会，落在几只鸭子的身上。鸭子们开始并不

知道。就在毛毛虫们暗自得意的时候，鸭子们看见了彼此身上的美味，之后就是饱餐一顿。

尽管如此，其余的虫子对彼岸的期望也从没失去过。它们仍然在寻找机会。机会终于来了。一日，河里起了大风，风向恰好是从此岸吹向彼岸。毛毛虫们一起爬上落叶。落叶瞬间就被风吹到河里，这正是它们所想的：以叶为舟，渡过河去。但很可怜，风太大，那些树叶都被吹翻了，毛毛虫们都被水无情地淹死了。

只有一只听了妈妈的话的小虫，在经过成长后，变成一只蝴蝶，飞过河，到达了美丽的彼岸。

确实，人生不是处处顺利平坦，不总是莺歌燕舞，常会夹杂着一些不幸，几多烦恼。一旦遭遇不顺和困难，我们就需要静静等待，毕竟，胜利的快乐和醇厚的美酒，都是需要时间的沉淀才能享受的。

就像白杨和银杏，把它们同时栽下，并给予它们相同的培养条件，其结果却是：白杨生得高大，银杏生得矮小。为什么呢？越是珍贵的东西生长得就越慢。

梅花斗艳，独立寒枝，是为等春天的降临；雨声潇潇，花木入梦，是在等待晨曦的到来；江河咆哮，一泻千里，是在等奔入大海那一刻；鹰立如睡，虎行似病，是在等待出击的时机。

有些事情是不能等的，有些事情则需慢慢地等。学会等待，误会与不快才能化解，我们才能释怀某些感情，才能享受精彩人生。

等待是为了有所作为，因此我们得放弃等待中无所事事的埋怨，学会积极地等待，学会用等待驱逐黑暗，用等待走出逆境，用等待迎接生命的每一次挑战。

Part 6

敢于舍弃，你将会收获更多

放弃并不等于失去

放弃，并不意味着失去，只有放弃才会有另一种收获。要想采一束清新的山花，就得放弃城市的舒适；要想做一名登山健儿，就得放弃白皙的皮肤；要想穿越沙漠，就得放弃咖啡和可乐；要想得到永远的掌声，就得放弃眼前的虚荣。

放弃是美丽的，对于一般人而言，这种境界似乎很难达到，现实中要放弃你的至爱的确很难，难过到会心痛，难过到会滴血……但背着包袱走路会更辛苦！ 只要我们抱着积极乐观的心态，失去也会变得美好。

一个老人在上火车的时候，不小心弄丢了一只刚买的新鞋，周围的人都为他惋惜。但是，让很多人意想不到的是，老人立刻把另一只鞋从窗口扔了出去，没有人可以理解他的这种行为。但是老人却微笑着解释道："这只鞋即便再昂贵，对我来说也已经没用了，如果有谁捡到一双鞋，说不准还能穿呢！"

有时我们在面对一些事和东西的时候，与其抱残守缺，不如断然放弃。我们都有过某种重要的东西失去的经历，而且都在心里埋下了阴影。究其原因，就是我们并没有调整好心态去面对失去，没有从心理上承认失去，总是缅怀那些已经不存在的东西。事实上，与其为失去的而懊恼，不如正视现实，换一个角度想问题：也许你的失去，正是他人的得到。这样我们就会在为所失去的东西而感到伤心难过的同时，得到一种解脱和快乐。

真正的快乐，是一种精神上的愉悦感受，如同幸福，不是能靠金钱和拥有东西的多少来衡量的。当今社会的有些富商、老板，整日纸醉金迷、挥金如土、浑浑噩噩，他们开着名车、住着豪宅，但是他们并不快乐。而有些名人，甚至是普通工薪阶层的人，自己省吃俭用，朴素无华，却用心致力于慈善事业，资助那些急需帮助的人，虽然他们自己能够享受到的不多，但内心却非常充实、快乐。

放弃是为了新的理想的开始

生命中有些东西，就像是握在手中的细沙，握得越紧流失得越快。 在我们的生活中，自己真正所需要的，往往要许久之后才会明白，甚至穷尽一生也不会明白！ 面对已经拥有的，我们又因为曾经得而复失的经历，心里存在着一份忐忑与担心。 因为拥有的时候，我们也正在失去，而放弃的时候，我们也许又在重新获得。 放弃也许是另一种生活，另一种理想的开始！

20 世纪初，中国人生活于水深火热之中，民不聊生。鲁迅在日本留学时学的是医术。一天，在上课时，教室里放映的片子中讲述的是一个被说成是俄国探子的中国人，即将被手持钢刀的日本士兵砍头示众，而周围站着许多围观的中国人，他们虽然和日本人一样身强体壮，但个个无动于衷，脸上是麻木的神情。在中国人被砍了头以后，他们却还鼓掌欢呼起来。而这种欢呼声深深刺痛着鲁迅的心。他身边的一名日本学生说："看这些中国人麻木的样子，就知道中国一定会灭亡!"鲁迅听到这话后，忽然站起来，向那个日本同学投去了威严不屈的目光，昂首挺胸地走出了教室。他的心像大海一样汹涌澎湃，他清楚地认识到要想拯救中国，首先要拯救中国人民的灵魂。于是他下定决心，弃医从文，决定用笔来唤醒中国老百姓。从此，鲁迅把文学作为自己的目标，用手中的笔做武器，写出了《呐喊》《狂人日记》等许多经典作品，向黑暗的社会发起了挑战，唤醒了数以万计的中华儿女站起来同愚昧不公进行英勇斗争。他夜以继日地写作，直到生命的最后一刻。

鲁迅先生放弃了做医生可能会给他带来的荣耀，放弃了自己最初的理想，毅然地拿起了手中的笔，成了人民的作家，用自己犀利的文字唤醒了沉睡多年的国民，他以笔为武器，深深地刺进敌人的胸膛。为了民族的解放、国家的独立、人民的幸福，他无怨无悔地燃烧着自己。为了达到"唤醒国人"的目的，他不断地调整自己的方向，每一次放弃的同时都意味着有另一个更明智的选择。因为懂得适时放弃，他才实现了自己的理想!

坚持不一定是最好的做法

人总是喜欢争取自己喜欢的东西，总是下意识地认为只要自己争取了，就一定能得到，但忘记了看那个东西是否适合自己。美丽别致的鞋子有时是不合脚的，当你撑足了面子，脚却已经疼痛难忍，而你想穿回原来那双合脚的鞋子时，会发现你已再也找不到它的踪迹了，后悔都为时已晚了。放弃可能是生活中要时刻面对的清醒选择，学会放弃才能卸下人生的种种包袱，然后轻装上阵，坦然地等待生活的转机，度过人生的风风雨雨；懂得放弃，才能变得成熟，才能够活得更加充实、坦然和轻松。

人生在世，每个人都会或多或少地有些无奈，如果我们有太多的放不下，就会有更多的无奈。放下意味着释怀，释怀意味着无忧无虑，这是佛家所追求的一种理想境界，同样也是每个人所追求的。人生会面临太多的诱惑，有的人总是一头扎进去就再也不愿意出来，不愿意丢掉这些本该放弃的东西，这样，他就会在诱惑的旋涡里让自己受伤；人生有太多的欲望，在这些欲望的驱使下有的人只会拿得起，却放不下，最终也就会在人生的道路上迷失方向。

在我们的日常生活中，总会有些事，在我们经历过百般努力后，成功却还是遥遥无期，这时我们就要学会放弃，因为它是我们该放弃的，继续做下去只会给我们带来失败，不妨换一个活法，换一种方式，或许这样我们就会惬意无比。如果我们在一次不经意中得到一个意外的便宜，在我们沾沾自喜之后，一定要赶快放弃，便宜的背后，往往潜藏着巨大的杀气，会使我们跌进低谷，以至于遍体鳞伤。每一个人都是有感情的，如果我们努力地去打动别人，却不能使他动情时，你不妨学会放弃，把你绵绵的情意，深藏在心底。因为那不是我们要争取的，那是我们应该放弃的，带着他只会让我们伤痕累累。

如果你走进一条死胡同，你应该赶快放弃，及时回头，这样会给你带来新的契机。如果你的成功已达顶峰，你更要学会放弃，这样才能让世人记住你留下的辉煌记忆。如果费尽心思自己却不能开心，那又何必坚持，其实放弃未必不是好的结果！

舍与得是相辅相成的

现实生活中有许多人对于个人的利害得失往往耿耿于怀，瞻前顾后，鱼和熊掌哪一个都不肯放弃。这种患得患失的生活状态是不健康的。我们来讲一个古人的故事，以说明这种人的可悲。

曹操得知刘备得了徐庶，很想把他找来让他为自己服务，苦于没有办法。一位谋士献计说，徐庶是大孝子，幼年丧父，身边只有一个老母。丞相可派人把徐母骗到许昌，让她写信把他儿子召过来，徐庶一定会来。

曹操依计而行，厚待徐母，并让她写信给徐庶让他投奔曹操。哪知徐母懂得世间事理，把曹操骂了个狗血喷头，就是不写信。

后来得到徐母笔迹，曹操的人就写了一封伪信，差一心腹拿着书信去找徐庶。徐庶接书，见信上说自己的母亲被曹操逮住，如果他能投降曹操，可免老母一死。你应当念你母亲十月怀胎抚养操劳之苦，星夜赶来。徐庶读完，泪如雨下。速速告知刘备，刘备也不好相拦，只得忍痛离别。徐庶走的时候，不仅给刘备推荐了良才，又发誓终生不为曹操效劳。赶到许昌时，曹操远远迎接。见了母亲，徐庶跪着痛哭流涕。徐母大惊，问他怎么来了。徐庶答："因看到母亲写的书信，所以连夜赶来了！"母亲一听，就明白被曹操骗了，不禁拍案大骂徐庶，说他不知大义，被一封伪书所骗，与曹操同流合污，有什么面目去见徐家的祖宗！说罢转入屏风后，悬梁自尽。徐庶不胜悲痛，对曹操无比憎恨，凡曹操派人赠予的物品，一概不收。

从此以后，徐庶很少说话，既不为曹操出谋划策，又不能逃出去，最后郁郁而终。

徐庶在忠孝上，选择了后者，但却因此逼死了老母，反而成了大不孝。如果他不患得患失，他和他母亲的结局可能都不会如此了。

世事如庭前花，花开亦有花落，趋炎虽暖，但暖后会让人更体会到酷寒的痛苦。古人云："勿睹天际彩云，常疑好事皆虚事；再观山中古木，方信闲人是福人。"木秀于林，风必摧之，斧必伐之，则此木必长于众目所瞩之处。只有藏在深山之中，任由其生长，没人用，最后倒成了一株珍贵的奇木。得失之间，又何必计较那么多呢？

人的一生中，有得到必然有失去，得到的时候不能得意忘形，失去了也用不着念念不忘，耿耿于怀，让自己内心困苦。敞开心里的门，打开心里的那扇窗，解开心头的结，这样才能永远保持年轻而又轻松的状态，才能有机会去体会生活中的幸福。

长远目光看问题

一个朋友前几天去买生日礼物送给孩子，路过一家商店门口，挂着免费包装的牌子，便进去花了大价钱买了一件。在门口，服务员非常耐心地为他的礼品做了一个精美的外包装。朋友拿起东西，说了声“谢谢”，刚要走，却被叫住了。

“先生，您还没付钱呢！”服务员突然说道。

“门口不是写着免费包装吗？”朋友一脸困惑地问道。

“是免费包装，可包装盒是收费的呀！”服务员脸上扬起得意之色。

朋友哑巴吃黄连，有苦却说不出，付钱后很不开心地离去。

朋友说完他的遭遇后，老李不禁想起自己前几年类似的经历。某网站打出了电子邮箱终生免费的幌子，老李害怕免费大餐被别人抢光，赶紧就注册了一个。可是刚用了一年，网站就通知说要收费。交钱，自己不痛快，不交，邮箱就会被注销，又要和很多朋友重新建立联系，于是便大呼上当。

生活中这样的例子也十分常见。今天听到超市喊着买一赠一，明天就又叫着疯狂大甩卖，各种版本层出不穷，让人眼花缭乱。其实，大多数都是美丽的谎言，可却总有那么多人前赴后继去上当，太不能理解了。由此我想到这样一个故事：

从前有个屠夫专门帮人杀牛，他不但技术高超，而且工作认真，为人忠厚老实，长相也相当俊俏，没有任何不良嗜好，引得人人夸赞，用现在的标准衡量也属于优秀青年。可由于他家境贫穷，又有个常年卧病在床的老母，小伙到了结婚的年龄，却没有一个姑娘愿意嫁给他。大家都为他着急，纷纷给他说亲。

一次，有个稀客来找屠夫的主人，说是要帮屠夫向县太爷的千金提亲。主人听了十分高兴，当即把屠夫叫来。

"我身体有残疾，恐怕千金看不上我。"屠夫一点都不高兴。

"他根本没啥残疾啊！"主人感到很奇怪，可又问不出个原因来，就只好请来人转告县太爷，拒绝了这门亲事。邻居听说这件事后，都不能理解屠夫的做法，为屠夫感到可惜，都说屠夫不知好赖。

"你们以为这样的好机会，我愿意放弃啊？这里面是有原因的。”屠夫一脸无奈。

“到底啥原因啊?”有好事者继续问。

“他的女儿肯定很丑。”屠夫回答道。

“你又没见过,怎么知道?”那人说。

“依我多年杀牛的经验!每天我拿到的牛肉,都会分出牛肉的好坏等级,往往上等牛肉早就有人预定了,最后只剩下那些次等牛肉和下等牛肉没人买,只好便宜卖了,甚至在每天收摊时还要白送给别人,要不然就得扔了。所以我推测县太爷的千金一定是长得丑没人要,不然的话,这样的好事怎么会轮到我这样的人呢?”众人感到很有道理,都对屠夫感到佩服。

真的应该为屠夫鼓掌,为他没有落到县太爷的圈套而庆幸。天下没有白吃的午饭,便宜的背后肯定有不为人知的陷阱。现实生活的大道上也到处都是这样的陷阱,因而必须小心。

其实,不管骗术多高明,手段怎样变化,只要我们不让物欲蒙昏了头,不去占小便宜,不去招惹路边带刺的花朵,就不会被伤害,就能在荆棘满地的道路上大步行走。

见到树木，就要想到森林

一次，美国亨利食品加工工业公司总经理亨利·霍金士忽然从化验室的报告单上看到：他们生产食品的配方中，有保鲜效果的添加剂是有毒的，这种毒的毒性并不大，可长时间食用会对身体有害。另一方面，假如食品中不用添加剂，则又会对食品的鲜度有所影响，对公司将是一大损失。

亨利·霍金士面临着一次抉择，是真诚还是欺骗。全面思考了一下后，他觉得应以诚对待顾客，虽然自己有可能面对各种难以预测的后果，可他果断决定把这一有损销量的事情告诉顾客。于是，他马上向社会公布，防腐剂有毒，长时间食用会对身体有害。

消息一公布就引起了强烈的反响，霍金士面临着十分大的压力，不但自己的食品销路锐减，而且所有从事食品加工的老板都联合起来，用尽一切手段向他施加压力，同时指责他的举动是别有用心，是为追求一己之私利。因此，他们联合各家企业一起压制亨利公司的产品。在这种自己食品销量锐减，又面对外面抵制的逆境下，亨利公司一下子跌到了濒临倒闭的边缘。

在努力挣扎了4年之后，亨利·霍金士的公司差不多危在旦夕了，可他的名声却人人皆知。这时候，他的命运出现了转机——政府站出来扶持霍金士，在政府的大力支持下，加之亨利公司诚实经营的良好口碑，亨利公司的产品又成了人们放心食用的热门货。

因为政府的大力支持，加之他真诚对待顾客的良好声誉，亨利公司在一段很短的时间里便恢复了元气，并且规模扩大了两倍。因此，亨利·霍金士一举登上了美国食品加工业第一的宝座。

做事灵活的人，都可以从吃亏当中学到智慧。“吃亏是福”也是一种哲学的思维方式，就表面而言，“吃亏是福”会给人以不思进取的嫌疑，可是，这些观点会让人们对自己有更清醒的认识。

大部分人都知晓刘邦与项羽的故事，在称雄争霸、建立功业上，两人表现出了完全不同的态度，最终也得到了完全相反的结果。著名文豪苏东坡在评价楚汉之争时曾经开门见山地指出：项羽之所以会败，并不是老天要亡他，而是由于他不能忍，不想吃亏，白白浪费了自己百战不殆的勇猛；汉高祖刘邦尽管是一个地痞流氓，可他却能忍，知道吃亏，懂得养精蓄锐、等待时机，紧紧抓住项羽的弊端，由弱势转变成强势，所以最终夺取了胜利。

Part 7

丢掉“心理垃圾”，给生活一个笑脸

别让愤怒霸占了生活

一位父亲教他5岁的儿子使用剪草机，父子俩正剪得高兴，突然屋里的电话响了，父亲进屋去接电话。5岁的孩子把剪草机推上了他爸爸最心爱的郁金香花圃，父亲接完电话看到这一场景，脸都气青了，他的拳头已经举向儿子。这时太太出来，看见满目狼藉的花园，顿时明白了是怎么回事，她温柔地对丈夫说：“我们现在人生最大的幸福是养孩子，郁金香的时代过去了。”3秒钟后，父亲的愤怒消失了，一切归于平静。

故事中的父母是会生活的人，因为他们知道种花、养花是为了让生活更美好，而不是生活本身，更不可能是生活的目的。而人们不快乐、常生气、有烦恼，往往是因为做事太计较得失，就会掩盖了生活的本源。

生活的智慧就在于不管发生什么事情，你都能明白自己最想要的、最该珍惜的是什么。是一盆花、一个花园；还是一种快乐、一份情感？只有弄明白什么是最想要的，你才能分清生活中的主次，不会让那些琐碎小事困扰着你。

下面故事中的禅师，就为我们树立了良好的榜样。

有一位金代禅师非常喜爱兰花，在平日弘法讲经之余，剩下的时间都用来栽种兰花。

有一天，他要外出云游一段时间，于是将自己栽种的兰花托付给弟子照顾。

在这期间，弟子们不负重托悉心照料。有一天，一个弟子在浇水时却不小心将兰花架碰倒，所有的兰花盆都跌碎了，兰花撒落在地上。

弟子们都非常恐慌，打算等师父回来后，主动向师父赔礼认罚。

金代禅师回来了，闻知此事，便召集弟子们。师父丝毫没有责骂弟子，反而说道："我种兰花，一是用来供佛，二来也是为了点缀寺庙，愉悦性情，不是为了让自己生气才种的。"

金代禅师之所以能悟出这个道理，是因为他虽然喜欢兰花，但心中并不计较兰花的得失，也就是说，他不会因为兰花的得失影响心中的喜怒哀乐。

生活中遇到烦心事在所难免，如果能用一颗感恩的心来面对周围的一切，人就不会轻易地生气。

下面还有一个例子：

有个男人带了位朋友回家，进门就挨了女人一顿恶骂。男人丝毫不介意，照样平静地为朋友倒水泡茶。

“你涵养真好。”朋友赞美他。

“不是涵养好不好的问题。”男人说，“我刚从太平间回来，面对死亡，我忽然觉得连痛苦都算得上是一种享受。现在还能有妻子骂你，简直就是一种幸福了。”

被妻子骂居然可以算是一种幸福？多么深刻的哲理啊！我们常常感叹生活的艰辛、生存的烦恼和生命的缺憾，却没有意识到这也只有生命才能体会到，我们就已经承蒙着命运万分的恩宠了。

生而为人已是幸运，能在社会中生存下来就更加不易，我们又何必自己再给自己制造烦恼呢？

日常生活中正因为我们牵挂得太多，太在意得失，所以才情绪起伏，觉得自己一直都不快乐。如果在生气之际，我们能多想想：“我来工作不是为了生气”“我不是为了生气而教书的”“我不是为了生气而交朋友的”“我结婚不是为了生闲气的”“我不是为了生气而生儿育女的”……你烦恼的心绪就会平复下来。

不要让抱怨害了你

W·戴埃在《你的误区》一书中说："抱怨、责怪徒劳无益。人们大可肆意抱怨，拼命地责怪他们，但这不会有益于任何方面的好转。抱怨的唯一作用是为自己开脱，把自己情绪的不快或消沉归咎于其他的人或事。然而，抱怨本身是一种愚蠢的行为。"我们总抱怨工作压力大，却没有想过，如果离开了它，我们就失去了一次锻炼的机会。所以，应该把它当成一种锻炼和自我挑战。

人生不如意事十之八九，工作也是如此。一旦把工作想象得太过完美，则稍一出现与我们预想不一样的结局，就会十分沮丧。假如你向老板汇报工作时，因为不够清楚而受到老板的批评，这时你也许会觉得心里十分委屈，可是你是否想过，你自己都做了些什么？你把工作布置得是否合理得当？是不是真的了解了老板的要求？你应该认真分析工作中出现的问题，避免它再次发生。

作为一名员工要深刻地认识到抱怨毫无意义。只有改变，前途才会一片光明。

汤姆和杰克同时进入了一家公司做仓库保管员。他俩在同样的岗位上，可是他们的工作态度却截然不同。汤姆消极应付，杰克却做事积极，遇到事情主动解决。

仓库保管员这一职位看似低微，但杰克明白，仓库保管也是公司运营的一个不可或缺的环节。杰克抱着把工作做到最好的态度工作，而且他还以货物的流通为切入口，通过各种货物的流通速度评判公司各项业务，找出周转缓慢需要调整的业务，还把这些想法写成报告上交给公司。提交分析报告不是杰克的本职工作，他本来完全没有必要做这个。杰克这样做完全出于主动，全身心投入工作中，所以十年间，他从保管员做到了副总裁。

汤姆依然在做着仓库保管员，尽管抱怨不断，却始终没能改善处境。

生活在职场这个“大家庭”中，一个员工在抱怨时，他就会表露出自己的消极心态。他给周边人传递的信息常常是：我在公司得不到重视、我不喜欢这个工作。而这些都会直接影响公司对员工作出判断：这个员工是否对公司有价值，是否需要提拔这个员工，他能为公司带来哪些效益？或许只是一句看似无心的怨言，却改变了公司对你提升的想法。

工作中的抱怨，源自内心的阴郁。因为没有阳光，便以为别人抛弃了自己。如果打开心扉，积极努力，最终会发现，那貌似黑暗的瞬间，都为一个充分的理由而存在。即使是阴霾密布，但满怀期待，阳光还会很灿烂。

抱怨无济于事，只能帮自己开脱。可是，很多员工在没有完成任务时总是找一些理由为自己辩护。但当工作失败时，你再解释已经没有意义了。

与其用抱怨来发泄对公司和老板的不满，不如努力发现自己可以改进的地方。这样一来，你会发现自己的处境大有改善。如果自己没有努力，就别抱怨老板不给你机会。那些喜欢大声抱怨自己缺乏机会的人，往往更容易失败。成功者不需要编造借口，因为他们能对自己的行为和目标负责，所以总能获得成功。

一位父亲带着年幼的儿子去爬山。到达山谷时，儿子心血来潮地对着山谷喊道："有人在吗?"山谷响应："有人在吗?"孩子又喊："你出来，不敢出来就是胆小鬼!"山谷也做同样的响应。孩子气急败坏地跺脚。

父亲看到这一幕，就借机对儿子说："山谷只是你声音的响应，你不必生气，如果你对山谷说好话，山谷也会用好话响应你。"

与人相处也应从善开始，这样，回到你身上的才会有好结果。生活中，当你面带微笑问候别人的时候，对方自然也会报以微笑。职场也是一样，如果你想在工作中与众不同，就要减少抱怨的次数，调整自己的状态，向老板展示你已经具备能够胜任重要工作的全部素质：有行动力、亲和力并且不抱怨。

试想一下，你是喜欢与那些抱怨不已的人为伍，还是与乐观积极的人一起共事呢？ 显然，人们总会避开那些喜欢抱怨的人。 在工作中，不会有人因为抱怨、嘲弄等消极负面的情绪而获得奖励和晋升。 习惯于抱怨的人在职场上往往失败，因此，小心抱怨害了你！

放低姿态才能避免嫉妒

嫉妒是基本的人性之一，只是有的人会把嫉妒展现出来，而有的人则会藏在心底。

在朋友之间、同事之间、兄弟之间、夫妻之间都会有嫉妒行为产生，这些嫉妒处理得不好，就会造成不好的后果，这里我们只谈朋友、同事之间的嫉妒。

朋友、同事之间嫉妒的产生全是因为如下的情况，比如：

“他的条件不如我好，职位却比我高！”

“他和我是同班同学，在校成绩又不比我好，可是却更成功！”

如果你的上司欣赏你，那么你就有可能被同事中的某一位或多位嫉妒。女人的嫉妒会明显地展现在行为上，说些“哼，有什么了不起”，但男人的嫉妒常常藏在心里，而藏在心里也就算了，有的则开始跟你作对，不和你合作。

所以，当你一朝得意时，应该注意两件事：

（1）有没有比你更有资历的人如今不如你？原因是这些

人最有可能对你产生嫉妒。

（2）观察同事们对你的“得意”在情绪上产生的改变。通常，心里产生了嫉妒的人，在言行上都会有些改变，但掩饰得不好，只要稍有用心，这种“改变”很容易被发现。

在注意这两件事的同时，你也应做到如下几点：

（1）不要把自己的洋洋得意表现出来，以免刺激他人，增加他的嫉妒，或是激起本来不嫉妒的人的嫉妒，你若为你的得意而洋洋自得，则会有不利的后果。

（2）放低姿态，对他人要客气，千万不可有傲慢的姿态，这样就可减少别人对你的嫉妒，原因是你的低姿态使其他人在自尊方面得到了满足。

（3）在适当的时候展现一下你的短处，例如不善于唱歌、外文不好等等，好让嫉妒的人的心中有“毕竟他也不是完美”的心理。

（4）与嫉妒之人沟通，诚恳地请求他的合作。当然，也要赞扬对方有你所没有的优点，这样或多或少可减弱他的嫉妒。

受到他人的妒忌应放低自己的姿态。而话说回来，嫉妒别人也不是好事，如果你有了嫉妒之心，那么千万不要让它转变成破坏的力量。原因是这种力量会伤人也会伤己，并且会妨碍你的进步。所以，与其嫉妒，不如想办法超越别人！

猜疑是毒瘤

喜爱猜疑的人常常小题大做，无中生有。虽然疑心重的人往往具有极致的敏感度，然而很遗憾，他们的敏感常是故弄玄虚，这种胡乱猜测无疑是自作自受。

有一对再婚老年夫妻，丈夫在某大学教书，妻子是某企业会计。他们都有过丧亲之痛，对这迟来的幸福很是珍视。他俩总会于每天黄昏时分牵手在江畔漫步，畅谈各自的工作和理想。二人的举案齐眉，令同事、朋友们羡慕不已。

然而，有一件小事却给恩爱的夫妻造成间隙。有一次，教授的一位朋友因家事向他借救急钱，不久后，该朋友还钱给教授时，恰好他不在家，钱被他爱人所收。可是，教授的爱人却没有将还钱的事告诉他。教授知道后十分生气，他认为妻子正在悄悄地隐匿家庭财产，甚至警惕地认为妻子意谋不轨。

随着夫妻间信任的丧失，家庭矛盾愈演愈烈。自此，二人转为互不退让的“仇敌”，一丁点儿小事都纠缠不休。最终，一次激烈的争吵宣告二人的婚姻破产。后来，二人又在财产的分割上互不相让，甚至对簿公堂。结果，5 年“马拉松”式的官司，使他们失去了和睦与恩爱，损失惨重。

事后，这位教授告诉别人：“我好不容易才找到一个老伴，一个事业上的好帮手，日子渐渐有起色。谁知，我却因为猜疑心亲手毁了自己的幸福生活！”

事实确实如此，猜疑是毒瘤，它破坏人与人的信任关系……灿烂的阳光也对它避让三分，它使人压抑、郁闷，甚至陷入深沉的烦恼；它在人与人之间设置不幸的屏障，将友谊与幸福拒之门外，痛苦、烦恼和灾难则趁机侵入。

猜疑是抱怨的祸根，它招致恶果，使自己受害，更会殃及他人。而猜疑所生产的抱怨，会使你的人际关系疏散，使幸福弃你而去。所以，只有将心胸放宽，不乱猜疑，才会幸福。

让心情多晒晒阳光

大多数人的心境会受外在环境和因素的影响，就像大海里的波涛，起伏不定。 人们之所以会抱怨，并不是因为生活缺少明媚的阳光，而是因为背对着太阳。 他们的眼中看不见七彩的阳光，即使是春天绽放的鲜花，在他们眼中也黯淡无光，无限美好的蓝天、五彩纷呈的大地都形同灰色的布幔。在他们眼里，工作是劳而无功的不断重复，其人生也都是一片如死灰一般沉静的空白。

俄国作家果戈理的长篇小说《死魂灵》里的泼留希金，积累的财富多到腐烂发霉，可是贪婪、吝啬的性格促使他宁愿吃苦，过着乞丐般的生活。 在我们的现实生活里，性格的悲剧常常上演。

英国作家萨克雷有句名言：“生活是一面镜子，你向它笑，它就向你笑；你朝它哭，它也朝你哭。”确实，不管你在生活中遇到何种艰难，都应以乐观的态度笑对一切，而不是无止境地抱怨。

其实，我们每个人既可以充分地享受生活，也可以无视生活的乐趣，这在很大程度上取决于我们的信念。任何人的生活都是两面的，关键在于我们自己怎样去审视生活，因为人生的悲剧乃是性格的悲剧。

背对着太阳的人，永远看不到太阳的光辉。因为他看到的总是阴影，因此心灵也变得阴暗。常将心情翻晒，不要让自己老是生活在见不到阳光的阴影中，要善于将心情袒露在阳光之下，要积极主动地化解抱怨，莫让抱怨纠缠着你不放。

不让盲目攀比刺伤自己

差距到处存在，于是人们在差距中不由自主地产生了攀比的心理，而盲目攀比却让人们惯性思维地将自己所做的贡献和所得的报酬与一个和自己才能一样的人进行比较。当二者之间没有差距时，彼此之间就会有公平感。一旦某一方的比值大于另一方，那么另一方就会严重觉得心里不平衡。某些政府官员看到与自己同等级别的其他官员用车比自己高级、住房比自己宽敞，自己甚至还不如那些比不上自己的人时，心里肯定会感到很不平衡，于是换车买房也就十分平常了。之所以这样，主要是由于心理经不起诱惑的原因。

可怕的是，这种不满足心理却亲如手足，如影随形。攀比是不满足的前提和诱因，在没有标准没有尽头地比安逸、比富有、比阔气中，致使心理失衡，不守本分。有的人则为自己能在这些错误的攀比中出类拔萃、占据上风而毫无止境地追求个人名利，再一步步地让自己堕入万劫不复的深渊。

机关单位的公务员小季，原本过着本本分分的平静生活。有一天，他接到一位高中同学的聚餐电话。多年不见，小季带着重逢的喜悦赶去赴约。昔日的老同学经商有道，豪宅别墅，开着名车，俨然功成名就的小资。小季重返机关上班，好像变了一个人，整天怨声连连，无时无刻不诉说心中的苦闷。

“这小子，考试老不及格，凭什么有那么多钱?”他说。

“我们的薪水虽然无法和富豪相比，但不也够花了吗?”他的同事安慰说。

“够花？我的薪水攒一辈子也买不起一辆奔驰车。”小季心疼得跳了起来。

“我们是坐办公室的，有钱我也犯不着买车。”他的同事看得很开。但小季却终日伤心忧愁，后来严重影响了健康，从此一蹶不振。

攀比是令人痛苦不堪的有害想法，对人对己毫无好处，伤害的只是自己的快乐和幸福。

可攀比又是人生中最易见的，说到攀比人们最先想到的便是女人，因为女人对事物的敏感更为显著。

在别人看来，巧姐是个地地道道的“女强人”，做事干练果断，为人豪爽直率。团结在她周围的一些男同事无不称赞其独一无二的干劲和爽快。因而，她也和他们一起称兄道弟。可是忽然有一天，她不经意间听到其中一位同事说：“巧姐哪都不错，就是唯独缺少女人味，你看人家阿美，温柔娴静，一看就知道是个好老婆……”

巧姐的心里感到很伤心。虽说平时巧姐是别人眼中的女强人，但她也希望别人觉得她有女人的娇羞与甜美。于是在以后的日子里，她极尽所能地让自己变得有“女人味”。走路时“婀娜多姿”，说话时“细声细气”，可是她这样矫揉造作反而在别人眼中显得格格不入，让人感觉很奇怪，“女人味”变成“怪人味”，巧姐心里更加憋屈，整日郁郁寡欢，工作业绩也差强人意。

其实，大家本来就各有所长，是女强人也好，是有“女人味”也罢，做一个原始的自己才是最佳的。巧姐看不得别人的“女人味”强于自己，所以才会致使自己拥有“怪人味”，让人觉得虚伪、做作和不真实。巧姐在听到同事说她没有女人味时心里难受，当她把这种不舒服付诸实践时，就从潜意识发展为攀比。这种攀比通常会由于别人不认可而使自己的心受到创伤。如果内心的承受力强大，冲击不会侵入而扰乱生活；如果内心承受力弱，冲击就会乘虚而入，严重干扰个人生活。

所以，生活中找准自己的位置特别重要，不要让盲目的攀比变成一把利剑刺痛自己。

抛弃虚荣与自负

聪明的人知道防范自负狂，而主要的还是防备他们做事，领导要防自负的左右手，员工要防狂妄的领导，大多数人要注意亲朋好友的极端自信。面对目中无人的他们，要明白无论气球飞得多高，它里面终是空的。

有的人不愿花时间关心除自己以外的人，与他人的关系很疏远。这种人遇事完全只会从自己的角度出发，从不顾及别人的感受，不求于人时，对人没有丝毫的热情，似乎人人都理应为他服务，服从他的调配。

也有的人脑子总是“一根筋”，唯我独尊，总是把自己的观点强加于他人，在明知别人正确的时候，也不愿意改变自己的态度或真心听取别人的意见。

还有的防卫得过度了，有明显的嫉妒心理。这种人有很强的自尊心，事无巨细都不希望或不愿意别人在己之上，对别人的成就、成功根本不能接受，对别人的失败还会幸灾乐祸甚至落井下石，不向别人提供一切有益于他人的信息。同时，在别人成功时，这种人常用“酸葡萄心理”来给自己寻找心理安慰。

这些人都是自负的人。

自负者用凹透镜看自己的缺点，用凸透镜看自己的优点。自负者缺少自知之明，同时又将自身的长处看得十分明显，对自己的能力和学识评价得过高，对别人的能力和学术却根本不屑于去仔细看。

对于那些自尊心非常强烈的人，为了保护自尊心，在挫折面前，经常会出现两类既相反又相通的自我保护心理，其中一种是自卑心理，通过断绝和他人的交往，来避免自尊心的进一步受损；而另一种就是自负心理，通过自我的无限放大，来掩饰自己内心深处的自卑。比如，一些家庭经济条件较差的学生，怕被班上的其他同学看不起，在表面上装出一副看不起这些同学的样子。这种自负心理实则是自尊心过强，不肯显露自己自卑的一面。

更有人放不下身段，耻于求教于比自己身份低的人，经常闹出笑话。

一个博士被派到一个动物研究所工作，在这里他的学历是最高的。

有一天周日，闲着没事，博士到单位的池塘里去钓鱼，刚巧遇到正副两个所长也在钓鱼。博士礼貌地向他们点头问好，但他与这两个本科生，有什么共同语言呢？

不一会儿，正所长放下钓竿，打个哈欠，舒展身体，噌噌噌从水面上如飞般地走到对面上厕所。博士看得下巴都要掉下来了。水上漂？不会吧？这可是一个水池啊。正所长上完厕所回来的时候，也同样是从水上噌噌噌地“漂”回来。这是怎么回事？博士又不好意思去问，自己可是博士生啊！又过了一段时间，副所长也站起身来，走几步，“噌噌噌”地漂过水面上厕所。这下子博士差点昏倒：不会吧，难道这里汇聚了众多江湖高手？

博士也想去方便了。这个池塘两边有围墙，要到对面厕所得绕十分钟的路，但最近的单位厕所路途也甚为遥远，该怎么办呢？博士却不愿放下身段去请教两位所长，憋了半天后，也起身往水里跨：我就不信本科生能过的湖面，我博士生过不了。只听见咚的一声，博士栽到了水里。

两位所长将他拽了出来，问他为何要下水，他问：“我想去上厕所，但为何你们能从水面跑进去呢？”两所长相视一笑：“这池塘里有两排木桩子，因为这两天下雨涨水所以没入水中了。我们都知道这木桩的位置，所以可以踩着它走过去。你怎么不问问我们再过去呢？”

不管在哪儿，身边总有这样一些人，因为自己的学历比别人高，自己的工作能力比别人强，自己的学习成绩比别人好，就变得自以为是，骄傲自大，总觉得自己无所不知、无所不能，谁也不放在眼里，不放在心上。纵然有不懂的问题也不屑于向“比不上自己”的人询问，最终却犯了再幼稚不过的错误，成为别人茶余饭后的笑谈。

要学会控制不良情绪

苏格兰科学家花了差不多 20 年时间，对 500 个不同职业、收入、年龄、性别及性格的人进行追踪研究，得出了一份调查报告：被调查者每天除了平均 8 小时情绪不好也不坏的睡眠时间外，余下的 16 小时中，争吵和愤怒各占半小时，悲哀和痛苦共占 45 分钟，除去这些不好的情绪，悲观、消极甚至厌世的低迷心情共占 15 分钟时间，孤寂、郁闷及空虚这些准恶劣情绪也将余下的 14 小时中的 2.5 小时瓜分去。

也许你会认为，剩下的 11.5 小时都是好心情，其实并非如此。调查显示，各个年龄段平均下来，人至少有两小时会在各种病痛的折磨中苦度时日，还剩两个小时在高速路上，或其他高度紧张的环境中度过。在每天的 4 个小时中，人的情绪不好也不坏，在余下的 3.5 小时里，你才可能拥有比较好的情绪。

由此发现，人一生中真正让自己心情舒畅、情绪很好的时间并不多。如果将人的寿命定在 80 岁，那么好情绪的时间不会超过 10 年。 许多时候，我们拥有的都是不好的情绪。

心理学家认为，所有内心的抗拒都是各种形式的不好体验，而所有的消极心态都是抗拒。 消极心态包括烦躁、没耐心、暴怒、压抑、怨恨、恐惧、痛苦、绝望等。 有的时候，抗拒的心理会促使消极情绪的爆发，在这种情况下，哪怕情况很小，也会使你产生强烈的消极心态，比如，愤怒、抑郁，或深深的悲哀等。

事实证明，消极心态是不会有任何积极效果的。 它不仅于事无补，而且是一种阻碍。 它不会消除不利的逆境条件，而会让逆境继续存在。

布勃卡是举世闻名的奥运会撑竿跳冠军，有“撑竿跳沙皇”的美称。他曾 35 次创造撑竿跳世界纪录，其中两项迄今仍无人打破。

一次，他接受由总统亲自授予的国家勋章。授奖时，很多记者问他：“你成功的秘诀是什么?”

布勃卡微笑着说：“很简单。我每次起跳前都会先消除消极杂念，让自己的心跳过标杆。”

原来，他作为一名撑竿跳选手，曾经有过一段日子，虽然不停地尝试刷新高度，但每次都是失败而返。当时他很苦恼丧气，痛苦和恐惧一直缠绕着他，他甚至怀疑自己是否能够在这个运动项目上坚持下去。

一天，他来到训练场，不禁摇头道：“我实在跳不过去。”

教练平静地问：“你现在是怎么想的?”

布勃卡如实回答:“只要踏上起跳线,看清那根高高的标杆,心里就害怕。”

突然,教练一声断喝:“布勃卡,你现在要做的就是闭上眼睛,消除一切杂念,让你的心从标杆上跳过去。”教练的厉声训斥,使布勃卡顿时惊醒,于是,他遵从教练的吩咐,重新撑杆。

这一次,他成功地跃身而过!

其实,所有的情绪都是一种心理状态,消极情绪也不例外。我们应像布勃卡一样,只有消除内心堆积的不良情绪,突破心障,才能超越自己。

事实证明,被自己的情绪摆布的人是无法成为一个成功者的。我们身边有很多这样的人,他们总是被消极情绪所支配,萎靡不振,消沉低落,一生都被束缚在自己圈定的逆境里,怎么也爬不出来。

负面情绪往往非常可怕。对于很多人来说,消极心态一旦被自己所认同,就不会再放弃它,同时还会无意识地抗拒一些积极的变化。因为他们在无意识中相信自己是一个抑郁、愤怒等不良情绪缠身的人,所以他们会忽视、拒绝甚至破坏自己生活中的积极方面。

消极心态是非自然的,是一种心理污染。地球上只有人类才有这种消极心态,其他的生物则没有。

你看到过不开心的花朵或有压力的橡树吗?你是否遇到过抑郁的海豚,有自尊方面问题的青蛙,无法放松的猫,或者满腔怒火的鸟儿?即使那些偶尔表现出这些消极心态或神经质行为的动物，也是因为它们与人类有着亲密的接触而受到了人类的影响。

你可以在安静的时候观察一下猫，甚至鸭子，它们或许能教会你一些重要的心灵课程。你将观察到它们是何等宁静，何等安逸，何等完美。

偶尔，两只鸭子会发生争斗，有时并没有任何原因，有时是因为一只鸭子闯入了另一只鸭子的领域。这种争斗通常只持续几秒钟，然后，这两只鸭子就会分开，游向不同的地方，并用力扇动几下它们的翅膀。

接着，它们就仿佛从未有过争斗似的继续平和地在水上游弋。它们通过扇动翅膀来释放多余的能量，因此，这些能量就不会蓄积在它们的体内进而变成消极的东西。这是自然的聪明之处，它们之所以能这样做，是因为它们没有思维，不会记住那必要的过往。

但是，我们不是那些无思维的动物，我们必经面对和考虑逆境带给我们的消极情绪。我们是人，而且人总在改变一些事物。逆境中，最大的敌人是无法控制的消极情绪。卡耐基说过："在我们生命中的每一天，所有人最初时都必须学会管理情绪。因此，我毫不犹豫地将情绪管理称为人生中的第一管理。"所以，成功的人都会控制和引导自己的消极情绪。

要控制消极情绪，必须在最开始时就承认它们。消极的情绪一旦发生，就是在告诉你，你的生活出了些问题，并且这可能会迫使你观察自己的生活并对其做一些改变。此时，你必须听你的情绪发出的声音，但在这时候，千万不要在心理上把它看成消极的东西。

当你觉得自己的内心产生消极心态时，不管什么时候，也不管是原因，你只是把它看成一种声音："注意，此时此地，请保持警惕！"哪怕只是微微感到烦躁也有其意义，也需要被承认和观察，不然它们便会累加，变成未受观察的反应，也就是说消极的情绪一经累积，其消极后果将更严重。

在释放消极情绪之前，必须先让理性检验它，缺乏理性的消极情绪显然更加可怕。怎样才能使情绪和理性之间达到平衡呢？自律与自制会使你的毅力成为理性和情绪的后盾，并对二者的表现强度进行强化。你的情绪和理智都需要主宰，如果没有自律和自制，理智和情绪便会随心所欲地进行争斗，最终受到严重伤害的肯定是你。

当消极情绪出现时，你可以打开"心理控制阀"，引导和宣泄这种不良情绪。方法有很多，如语言倾诉、找人交谈等。这样能够使心理压力得到有效释放，恢复心理平衡。

此外，产生消极情绪时，应当将其积极转移。当一个人不能实现目标或遭遇挫折时，可以通过另一种心理活动驱除心中的忧愁、痛苦和沮丧，这就是积极转移。

积极转移有目标转移、情景转移和环境转移。目标转移是指此路不通时就另觅他路。当经过千辛万苦，依然屡遭失败时，不要灰心丧气，不妨重新设定一个目标来替代原来的目标。

所谓情境转移，就是当消极情绪出现时，可以参加愉快的活动，或者把注意力转移到其他事情上，如听听音乐、打打球、看看电影等。你将发现，消极情绪很快就会消散。

环境对人的情绪也起着重要的影响和作用，环境中的光线、声音、气味、色彩等会使人产生截然不同的心境。当你受到挫折或心中充满不良情绪时，可以去亲近大自然，让自己的消极情绪消弭于无形。

日本学者池贝酉太郎指出，大多数情况下，人们会在无意识中把消极的情绪积滞于内心，又不知不觉地被这些消极能量蚕食着身心。为了防止这种情况的产生，最重要的是掌握升华的技巧，以便巧妙地将其转化为创造性的力量，从而使自己逃脱病态的折磨。

所以，当消极情绪产生时，要积极地进行引导和升华。如果你不能有效地控制和引导消极情绪，它就会像一匹脱缰的野马那样肆意狂奔，随意践踏你和他人的心灵。但如果你能驾驭它，并将其引向有利的一面，它就能日行千里，释放出很大的能量，你也将从长期困扰的逆境中解脱，阔步迈向成功的人生大道。

Part 8

所有舍去的，终将以另一种方式归来

留得青山在，不怕没柴烧

很久很久以前，在一个遥远的山村，有个烧木炭的老汉，他有两个儿子，大的取名青山，小的取名红山。老汉岁数大了，不能再砍柴烧炭，于是把两片树林分给了他的两个儿子。他把东岗留给了青山，把西岗分给了红山。

西岗树木多而茂盛，能烧很好的木炭，红山也很勤劳，每天不怕劳苦地烧木炭，日子过得还凑合。可几年后，树都被他砍光了，因此，红山就在岗上种了庄稼。没想到，一场意外的暴雨冲走了红山辛辛苦苦种下的所有庄稼。他失去了自己得以生存的庄稼，无奈之下，只得去东岗投奔哥哥。

东岗本来树木稀少，可青山很会计划，他先把不成材的树木伐了烧炭，接着又种上新苗；他在岗下开荒种田，养牛放羊。起初，生活尽管很贫困，可岗上树苗很快就长大了，岗下庄稼成片，牛羊成群。由于树木防护，那场暴雨对他的庄稼也没有很大损失。红山见哥哥这边山清水秀，一片兴旺，十分奇怪，就问哥哥是如何做到的，哥哥语重心长地告诉他说："你吃山不养山，早晚有一天会山穷水尽；先养成山后吃山，才会山清水秀，慢慢地兴旺起来啊！"

后来，人们都夸奖青山说："留得青山在，不怕没柴烧。"

的确，留得青山在，不怕没柴烧，在人生这条充满坎坷和曲折的路上，随时都会碰到这样或是那样的挫折，我们为何不给自己一个从头再来的机会呢！

当我们面临强大的对手高压，在身处危机的时候，采取藏巧于拙、佯装糊涂，假扮"诚实"的样子，一般可以避灾逃祸，转危为安。尽管面临险境，或遇到突发事件而只能装傻话呆。可这总比临危不惧和视死如归的壮烈要理智得多。留得青山在，不怕没柴烧，用笨拙的诚意和对手周旋，的确不失为一种高明之术。

埋头苦干实现腾飞

有句俗话是这样说的：“唯有埋头，才能出头。”种子如果没有在坚硬的泥土里挣扎奋斗的过程，它将止于一粒干瘪的种子，永远不可能发芽滋长成一株大树。

许多有抱负的人忽略了积少才可以成多这个道理，整颗心只想一鸣惊人，埋头耕耘的工作却没有人去做。等到忽然有一天，他看见了可观的收获被比自己年轻、比自己天资差的人获得，他才惊觉在这片园地上自己还是一无所有。这时他才懂得，不是上天没有给他志愿或理想，而是他一心只等着收获，可却忘了播种。

所以，只对自己那没办法实现的愿望慨叹焦急是没有用的。必须从头开始，才可以达到想要达到的目的。所谓“登高必自卑，行远必自迩”，和爬山一样，只要你低着头，耐心认真地去攀登，等你付出相当的辛苦努力以后，登高下望，你就可以看见你已经走过了多少险路，克服了多少困难。这样一次次的小成功，才会慢慢累积成大的更靠近理想目标的成功。

绝不是转眼之间便可以达到最终的目标，艰苦辛劳和屈就的代价在未付出之前，着急地空望着那遥远的目标是没用的。而只有从基本做起，朝目标按部就班地努力前行才会慢慢地接近它、达到它。

有时，是我们缺少成功所需要我们付出的相应的持之以恒的努力和毅力，而并不是我们对自己食言。其实许多时候，成年人和小孩子是一样的。成年人也会喜欢游戏，喜欢玩乐，喜欢拖延，或许自制力还不如小孩子。当我们需要面对我们为了成功而制定的计划时，当我们需要开始具体地实施行动时，痛苦就来了。用个简单的例子来说吧，你准备去国外读MBA，这是你近期的目标，你远期的目标是在你得到学位时在国际大都市的跨国公司里谋得一个职位，然后在那个起点上开始新的人生奋斗，以成为一个全方位的高级国际管理人才为目标。这个目标很美好，这是无疑的，但为了实现这个目标你得开始付出努力。首先，TOEFL、GRE、GMAT你得准备。你会觉得很辛苦，在你需要坐在桌前、面对英文资料时候，那种日日夜夜要实际付出的努力才是对你的真正考验。大量的记忆、重复乏味的劳动会让你很快就感觉到厌倦。美食、娱乐、电影、书籍时时刻刻在向你发出诱惑。这时，如果你没有足够的毅力，就会很容易放松对自己的要求，向这些诱惑投降。

没有什么不可能

一家资产雄厚的大公司，决定进一步扩大经营规模，高薪招聘营销主管。广告一打出来，报名者蜂拥而至。

应聘者们并没有接到烦琐的面试安排，而是一道实践性的试题：把木梳卖给和尚。

绝大多数应聘者困惑不解，甚至恼怒：既然已决定出家为僧，要梳子还有什么用？岂不是神经错乱，拿人开涮吗？没过一会儿，众多应聘者甩袖离开了。

偌大个场地上，只剩下仅有的三个人：小刘、小李和大周。

负责人对他们解释说："以 10 日为限，届时请各位将销售结果向我汇报。"

10 天一眨眼就过去了，3 位应聘者如期回到公司作汇报。

小刘讲述了自己销售期间受到的种种辛酸和委屈。但皇天不负有心人，在下山途中，小刘遇上一个正在太阳下使劲挠头皮的小和尚，聪明的他立刻递给小和尚一把木梳，小和尚用后满心欢喜，高兴地买了一把。

负责人问小李："那你一共卖出多少？"小李答："10把。"

小李去的是一座名山古寺，由于山高风大，很多进香者的头发都被吹得乱糟糟的，小李找到寺院的住持说："蓬头垢面是对佛的不敬。在每个香案前放一把木梳应该是个好主意，供善男信女梳理鬓发。"住持采纳了他的建议，买了10把梳子。

最后是大周，他一共卖了1000把，负责人大为惊奇，连忙问他整个过程。

原来大周去了一个颇具盛名、香火极旺的深山宝刹，那里每天前来上香的人络绎不绝。他给住持提了个建议：进香者必须怀有一颗虔诚之心，宝刹应有回赠，以做纪念，保佑其平安吉祥，鼓励其多做善事。既然你书法超群，不如在我的木梳上刻上"积善梳"3个字，然后便可做赠品。

大周还提议说："不妨搞一个首次赠送"积善梳"的仪式，隆重其事，让香客感受到一种尊重和善意。"住持激昂地决定买下大周所有的梳子作为回报，并邀请他留下来帮忙组织赠送梳子的仪式。

谁能最后胜出结果已经很明显了。这个故事是真是假，已不甚重要。重要的是大周能够淡然地在绝处逢生，从不可能中寻找到了可能，这些是不是可以给我们的自学成才和工作带来一些启迪呢？

勇于挑战生命的极限

极限作为一个学科概念，它说明世间的万物都有自己的临界线——即便坚硬的钢铁，加热到一定的温度也会由于熔化而改变它的形状。

然而“极限”却在人的进步与生存中起着不可或缺的作用，因为人处处受到自身极限的制约——生命有极限，没有人能够长生不老。人的体能有极限，在体育运动中，世界纪录是全人类的极限，亚洲纪录是亚洲人的极限，中国纪录代表中国人的极限。人的精神不是没有上限的，超过这个极限精神就会发疯，或做出极端反常的举动，更甚者会成为精神病人。人的实力有极限，周围一些差强人意的事情就是不能消失，经济发展到某一步就是无法再上升，不能从低谷爬上来。普通人有普通人的难处，当官的有当官的不易，连明星到一定程度也很难再大红大紫……

然而，命运还赋予人类一个永恒的使命，就是不断地超越自己的极限。这也是为历史所证明的人类生存法则：承认极限，又不止步于极限，绞尽脑汁地突破极限。这个生存法则我们不得不遵守，否则人类自身以及赖以生存的社会环境、心理环境和物质条件，就不会发展到今天的程度。事实证明，人的极限是可以突破的。生命有极限，同时也蕴藏着无限潜力。

人类发明体育运动，就是为了鼓励人突破自己的极限。冲破极限者就是完胜者，百年奥运的历史留下了人类一次次突破自己极限的见证。男子百米百年前最好成绩是 12 秒，当时人们就认为 12 秒是人类的极限。以后便一点点地突破，11 秒、10 秒，直至“黑飞人”多诺万·贝利以迅雷不及掩耳般的速度冲过终点，让每一个看见那场景的人都受到了极大的鼓舞，感受到了惊人的力量与速度，并为这力量和速度而振奋，他以 9.84 秒的成绩创造了崭新的纪录，这个纪录随之又成了新极限。

不断翻新原有的极限，创造新的极限，哪怕只是短暂的一瞬。

极限是一种艰深，一种完美，同时也是一种常人难以忍受的摧残。超越极限又是少有和极大的快乐和幸运。时刻保持一种濒临边缘的状态，敢于向自我极限发出挑战——生命的美丽之处正在于此，这也便是生活的魅力所在。

机遇往往出现在绝境之处

法国的戴高乐曾经说过："困难，非常吸引坚强的人。因为他只有在拥抱困难时，才能彻底了解自己。"

你自己努力过吗？对于你所遭遇的困难，你愿意努力去尝试，并且反反复复地尝试吗？只试一次是绝对不够的，需要多次尝试。这样你才可能看到自身所隐藏着的巨大能量。面对自己，竭尽所能去尝试去改变，这些努力正是成功所必不可少的条件。

积极去想去做，一个人处于困境之中的时候可能就是他的机会。

世界著名田径运动员海尔·格布雷西拉西耶出生于埃塞俄比亚阿鲁西高原上的一个小村庄里，这个小男孩，每天腋下夹着课本，赤脚跑步两公里上学和回家。贫穷的家庭环境使他不可能坐车去上学。为了上课不迟到，他每天都一路奔跑。今天，这个曾每日奔跑上学的孩子在世界长跑比赛中，先后15次打破世界纪录，成为当今世界上最优秀的长跑骄子之一。如果他出身富裕家庭，坐车上学，一定不会成为当今世界的田径骄子。后来，他经常说：“我要感谢贫困，由于贫困，我别无选择，只能跑步上学。”正是跑步上学，使他成为一名优秀的长跑运动员。少时跑步上学的艰苦磨炼是他成功的基础。

可见，不轻易屈服于困境，使之成为打磨自己的试金石，便可从中发现潜在的机遇。很多人与成功失之交臂，他们并不比其他人缺少才智，而是他们缺乏变困难为机遇的勇气、眼界。

康熙年间，安徽青年王致和赴京应试落第后，决定留在京城，一边继续苦读，一边学做豆腐赚钱谋生。可是，他毕竟是个年轻的读书人，没有什么经商的经验，夏季的一天，他所做的豆腐剩下不少，只好用小缸把豆腐切成块腌好。时间一天天过去了，他竟忘了有这缸豆腐，等到秋凉时想起来了，但腌豆腐已经变成了“臭豆腐”。王致和十分气恼，正欲把这缸“臭气熏天”的豆腐扔掉时，转而一想，虽然臭了，但自己还可以留着吃吧。于是，就忍着臭味吃了起来，但是，奇怪的是，臭豆腐虽闻起来有股臭味，但吃起来却非常香。

于是，王致和便拿着自己的臭豆腐去给自己的朋友品尝。好说歹说，别人才同意尝一口，没想到，很多人在屏息品尝了以后，都赞不绝口，一致认为此豆腐美味可口。王致和借助这一错误，改行专门做臭豆腐，生意越做越红火，影响也随之越发广泛，最后，连慈禧太后也慕名前来尝一尝美味的臭豆腐，对其赞不绝口。

从此，王致和与他的臭豆腐身价倍增，还被列为御膳菜谱。直至今日，许多外国友人到了北京，都还点名要品尝这“中国一绝”的王致和臭豆腐。

这故事告诉我们：世上有问题、困难，但没有绝境。机遇到处都有，只要你有足够灵活的思维、足够敏锐的头脑和及时把握时机的意识。

不断学习才能成功

罗杰走下码头，看到一些人在钓鱼。由于好奇心的缘故，他走过去看当地有什么鱼，好家伙，看到的是满满一桶鱼。

那只桶是一位老人的，他面无表情地从水中把线拉起来，摘下鱼，丢到桶里，又把线抛回水里。他的动作非常像工厂里的工人，而非一个垂钓者在揣摩钓钩周围是否有鱼存在。他知道鱼会来的，这是毫无疑问的。

罗杰发现，在前方不远处有六七个人也在钓鱼，老人每从水中拉上一条鱼，他们就大声抱怨一阵，抱怨自己总是举着一根空竿。

这样持续了半小时：老人猛地拉线、收线，7 个人都静静地看他摘鱼，又把线抛回去。在此期间其他人没有一个钓上过鱼，虽然他们只处在距老人十几米远之处。真是太有意思了！

这是怎么一回事儿？罗杰走近一步想去看看到底是

什么原因造成的。原来那些人都在甩锚钩儿（人们用一套带坠儿的钩儿沉到水里猛地拉起，希望可以碰巧抓住无数游过去的小鱼当中的某一条）。这7个人都拼命地在栈桥下面挥舞着胳臂，尝试着钓起一群群游过的小鱼中的某一条。而那位老头儿只是将渔钩放出去，等一会儿，感觉到线往下一拖，然后猛拉线，当然，他有鱼钓上来了。

老头儿收获了鱼，而他百发百中的秘密在于：钩子上只放少许鱼饵！他一把线放下去，鱼就会开始咬饵食，当他觉得线在动，就把鱼钩从厚厚的一群鱼当中一拉，有啦！

完全使罗杰吃惊的不是那位老头儿简单的智慧，而是其他钓鱼者的反应：那一群嘟嘟囔囔的人看得很清楚老头在干什么，明白他是如何运用最平常的方法获得超级效果的，但他们却不愿学习，所以，他们不会收获任何东西！

坚持就是胜利

因为警察局寻回的失物大多无人认领，或者物主提出证据后又放弃要回物品，因此，警察局的贮物室里收藏的丢失物可以说是数不胜数，令人惊奇。 那里有各式各样的东西，比如照相机、立体声扬声器、电视机、工具箱和汽车收音机等。 而那些没人认领的物品，每年都以拍卖的方式出售，有一年在密苏里州的堪萨斯市的警察局，拍卖了大量的脚踏车。

当第一辆脚踏车准备竞投，拍卖员询问是否有人愿意首先出价的时候，站在最前面的一个男孩说：“5 块钱”。 这个男孩看上去也就只有 10—12 岁。

“已经有人出 5 块钱了，谁出 10 块好吗？ 好，10 块，谁出 15 块？”叫价持续进行了下去，拍卖员回头看了一下前边那个小男孩，他始终都没有还价。

很快第一辆脚踏车卖出去了，没过多久，轮到另一辆脚踏车开始竞投。 而刚才的那男孩又出了 5 块钱，但之后总是不再加价。 跟着几辆脚踏车也是这样叫价出售了。 那男孩每次都出价 5 块钱，从不多加，但是，5 块钱的确是太少了。 那些脚踏车都卖到35或40块钱，有一些还可以卖到100多块。

等到竞拍中场休息的时候，拍卖员问那个男孩为什么让那些上好的脚踏车给人家买去，而不出高价同别人竞争。男孩说，他只有5块钱。

没过一会儿，拍卖又开始了，还有照相机、收音机以及更多脚踏车要被拍卖。那男孩还是给每辆脚踏车只出5块钱，而每一辆脚踏车都会被别人以高出他很多的价钱买走。

现在，聚集的观众开始注意到那个首先出价的男孩，他们感觉到会有什么事情要发生。

经过漫长的一个半小时之后，拍卖即将面临结束。但是还剩下一辆脚踏车，并且是很棒的一辆，车身亮的如新，有10个档位，车轮长度69厘米，双位手刹车，杠式变速器和一套电动灯光装置。

拍卖员问："还有谁出价吗？"

就在这时，站在最前面、几乎已失去希望的小男孩又轻轻地说了一遍："5块钱。"

拍卖员停止喊价，只是安静地站着看着他。

观众也静坐着默不作声。没有任何示意，也没有人喊出第二个价。

直到拍卖员说："成交！5块钱卖给那个穿半袖和布鞋的小伙子。"

这时在场所有人纷纷鼓掌。

那小男孩拿出攥在手中皱皱巴巴的5块钱钞票，买了那辆无疑是世界上最漂亮的脚踏车时，他展露出了一直没有过的美丽笑容。